Екатерина **Вильмонт**

Книги Екатерины Вильмонт:

- Путешествие оптимистки, или Все бабы дуры.
- Полоса везения, или Все мужики козлы.
- Три полуграции, или Немного о любви в конце тысячелетия
- Хочу бабу на роликах!
- Плевать на все с гигантской секвойи. Умер-шмумер.
- Нашла себе блондина!
- Проверим на вшивость господина адвоката.
- Перевозбуждение примитивной личности.
- Курица в полете.
- Здравствуй, груздь!
- Гормон счастья и прочие глупости.
- Бред сивого кобеля.
- Зеленые холмы Калифорнии. Кино и немцы!
- Два зайца, три сосны.
- Фиг с ним, с мавром! Зюзюка, или Как важно быть рыжей.
- Крутая дамочка, или Нежнее, чем польская панна.
- Подсолнухи зимой (Крутая дамочка-2)
- Зюзюка и другие (Сб.: Зюзюка, или Как важно быть рыжей; Зеленые холмы Калифорнии; Кино и немцы!)
- Цыц!
- Девственная селедка.
- Мимолетности, или Подумаешь бином Ньютона!
- Артистка, блин!
- Танцы с Варежкой.
- Девочка с перчиками.
- Шалый малый.
- Трепетный трепач.

Екатерина **Вильмонт**

Трепетный трепач

МОСКВА •
АСТРЕЛЬ

УДК 821.161.1-31
ББК 84 (2Рос=Рус)6-44
   В46

Оформление обложки дизайн-студии «*Графит*»
Дизайн *Яна Бабаян*

Подписано в печать 01.11.2012. Формат 84x108/32.
Бумага офсетная. Печать офсетная. Усл. печ. л. 16,8.
С: Совр. женщ. Тираж 50 000 экз. Заказ 3335.

Вильмонт, Екатерина Николаевна

В46   Трепетный трепач / Екатерина Вильмонт. — Москва: Астрель, 2013. — 317, [3] с.

ISBN 978-5-271-45887-3 (С: Совр. женщ.)

Две свекрови — бывшая и будущая. Одна любит Леру, а другая ее ненавидит. Этим двум женщинам суждено сыграть очень важную роль в судьбе талантливой сценаристки Валерии Муромцевой.

УДК 821.161.1-31
ББК 84 (2Рос=Рус)6-44

ISBN 978-985-18-0956-7
(ООО «Харвест»)

Странник прошел, опираясь на посох, —
Мне почему-то припомнилась ты.
Едет пролетка на красных колесах —
Мне почему-то припомнилась ты.
Вечером лампу зажгут в коридоре —
Мне непременно припомнишься ты.
Что б ни случилось, на суше, на море
Или на небе, — мне вспомнишься ты.

Владислав Ходасевич

Часть
первая

Я возвращалась домой из магазина и тихо радовалась тому, что по крайней мере два часа смогу спокойно поработать. Моя старенькая «шкода» еще бегает, дети, слава богу, здоровы, обед и ужин на сегодня есть, все у меня, кажется, хорошо. И припарковаться во дворе удалось без проблем. Правда, в подъезде было тесно от наставленной там мебели. Кто-то, похоже, переезжает, и заняты оба лифта. А переться пешком с такими сумками на девятый этаж просто нет сил. Но тут, к счастью, маленький лифт приехал и оттуда выскочили два здоровенных парня в комбинезонах какой-то фирмы и я успела юркнуть в кабину. Опять же хорошо! Пока я отпирала дверь, зазвонил домашний телефон. Я бросила сумки и схватила трубку.

— Алло!

— Валерия Константиновна?

— Да, слушаю вас.

— С вами говорит классный руководитель вашей дочери...

Сердце упало.

— Что с Катей? Где она?

— Не волнуйтесь, с ней все в порядке, она на уроке физики, но мне необходимо с вами поговорить. Вы сейчас никуда не уходите?

— Нет, я только что пришла.

— Тогда позвольте, я к вам загляну, у меня сейчас нет урока и...

— Да, пожалуйста. Простите, мы ведь не знакомы?

— Да, я в этой школе недавно и еще не успела... Я буду у вас через пять минут.

Что же такое учудила Катька, если классная руководительница идет ко мне, а не вызывает меня в школу? А, скорее всего это очередные школьные поборы... В школе сейчас говорить об этом, по-видимому, небезопасно, вот ее и обязали ходить по квартирам. Да, похоже, все именно так. Катька у меня девочка спокойная, и вряд ли что-то отчебучила. И тут раздался звонок. На пороге стояла молодая женщина, лет двадцати восьми, миловидная, не похожая на училку, и, кстати, Катька о ней хорошо отзывалась. Только вот я забыла, как ее зовут.

— Здравствуйте, — улыбнулась она, — Валерия Константиновна.

— Простите...

— Анна Дмитриевна.

— Очень приятно. Хотите кофе?

— Если можно.

— Да-да, проходите на кухню.

Я включила кофеварку.

— Валерия Константиновна, вы, верно, теряетесь в догадках, зачем я к вам явилась. Дело очень неожиданное. Ко мне вчера подошла Катя и сказала, что не желает больше носить фамилию Лощилина, и просила переправить в журнале Лощилину на Муромцеву.

— Что?

— Не хочет больше быть Лощилиной. Вот так.

— Господи, бред какой-то... А вы что?

— Я сказала, что это не в моих силах, что она должна прежде всего поговорить с вами. Она с вами не говорила?

— Нет. Я вчера очень поздно вернулась. А сегодня утром было некогда... Нет, она ничего не говорила и вела себя совершенно нормально.

— Понимаете, двенадцать с половиной лет, возраст опасный. Катя девочка на редкость развитая, умная. Должна быть какая-то причина...

Мне не показалось, что это просто каприз... и я сочла необходимым поставить вас в известность. Это тревожный симптом... Но я просила бы вас не говорить Кате, что я приходила к вам. Она мне доверяет, и я...

— Понимаю. Я ничего ей не скажу. Но она как-то объяснила, почему вдруг?

— Она сказала, что до нее дошла кое-какая информация об отце и она не желает носить его фамилию. И это все. Знаете, Валерия Константиновна, мне кажется, вам следовало бы согласиться с этим ее пожеланием. Если вы просто напишете заявление, мы будем считать Катю Муромцевой.

— Да, возможно, вы правы, но я должна понять...

— Простите за нескромный вопрос. Катя видится с отцом?

— Нет, причем она сама не пожелала. Он исправно платит алименты, но они вот уже четыре года не видятся.

— Простите, может быть это не мое дело. Но что послужило причиной? Поверьте, это останется между нами. Но мне важно знать. Дети в таком возрасте... Катя очень способный ребенок и вообще, как мне кажется, она сильная личность и вряд ли из-за пустяка...

Она с каждой минутой нравилась мне все больше, эта училка. Она и вправду беспокоится. Это не показуха. Она какая-то настоящая.

— Дело в том, что четыре года назад погибли моя сестра и ее муж, у них остался сын, четырехлетний малыш, и я, естественно, взяла его к себе. А муж этого не хотел... Мы расстались. А Катька, до того боготворившая отца, вдруг заявила: «Мама, он предатель! И слабак! Если взрослый мужчина бросает жену и дочь из-за четырехлетнего сиротки, значит, он просто ждал повода. И нечего о нем жалеть!»

— И это в восемь лет? — ахнула училка.

— Я сама была в шоке.

— Извините, Валерия Константиновна, а ваш муж...

— Бывший муж, — поправила я ее.

— Да-да, разумеется. Он ведь, кажется, писатель, и даже довольно известный?

— Да. Но причем здесь это?

— Я думаю, Катя прочитала что-то о нем в Интернете. А ведь это может оказаться неправдой...

— Я поговорю с ней. Обязательно.

— Валерия Константиновна, может, это праздный вопрос, но я...

— Спрашивайте!

— В кого Катя такая?

— В деда. Тот тоже был такой... максималист, в чем-то упертый... Но очень сильная личность. А я нет. Да и отец Катькин совсем другой. Скажите, а вы... как вам удается в нынешней школе быть такой...

— Какой? — улыбнулась училка. Улыбка была прелестная.

— Настоящей.

— О, спасибо вам! Просто я по призванию учитель. Очень люблю детей, мне с ними интересно, а ваша Катя незаурядная девочка. И я очень рада, что мы с вами нашли общий язык. И вместе сумеем помочь ей преодолеть этот кризис. Ну, спасибо за кофе, мне пора. Я оставлю вам свой телефон, на всякий случай...

— Спасибо вам огромное. Я еще не встречала такого отношения к детям. Спасибо!

Она ушла. И тут же зазвонил телефон.

— Лерка! Ты уже видела эту мерзость? — закричала в трубку подруга Рита, живущая в Израиле.

— Ты о чем?

— Какой же все-таки Димка подлец! Скотина!

Вот оно!

— Да что он сделал?

— Разразился интервью... Да каким! Вот что, спрашивается, ты ему плохого сделала? Племянника родного не бросила? А он... У меня слов нет!

— Да что он такого наговорил?

— Тебе зачитать?

— Зачитай!

— Ну, мало того, что он всех своих баб перечисляет, с именами и фамилиями, так о тебе он сказал буквально следующее: «Мой первый брак был роковой ошибкой. Валерия оказалась человеком из совсем другого мира — приземленной, примитивной, а при этом никудышной хозяйкой. Но ошибки легко исправить, если нет детей... А тут родилась дочь, я не хотел ребенка, но жена настояла, практически поставила меня перед свершившимся фактом. Дочь была милой малышкой, но уже к восьми годам стала благодаря своей мамаше эдаким злобным зверьком, отчего-то вдруг меня возненавидевшим. Я вынужден был оставить семью. И с тех пор я ничего о них не знаю, только регулярно перевожу деньги». Ну, каково?

— Боже, какое ничтожество! — простонала я. Теперь мне все было понятно. А Катька-то слова мне не сказала. Пожалела.

— Лерка, ты должна что-то сделать!

— Что? Что я могу сделать?

— Как что? Опубликовать в этом же журнале свои впечатления об известном писателе Лощилине.

— Нет, я этого делать не буду. Меня от этого всего тошнит. И я счастлива, что он от нас ушел.

— Это конечно, но...

— Рит, знаешь, мне что-то нехорошо... Не могу сейчас говорить, полежу немножко...

— Только Катьке не говори.

— Ладно, не скажу, — усмехнулась я про себя.

Я буквально рухнула на диван. Перед глазами была какая-то красная муть, давление, что ли, подскочило? За что он так с нами? Ладно со мной, но ребенка-то зачем грязью поливать? Я даже заплакать не могла... Слезы стояли в горле и душили меня. Господи, во что вылилась эта, как мне когда-то казалось, невероятная любовь? А ведь она была... И он меня любил... Я знала, я чувствовала...

Опять зазвонил телефон, на сей раз мобильный. Двоюродная сестра Лиза.

— Лер, ты это видела?

— Что именно?

— Ты читала эту мерзость?

— Ты о чем? — на всякий случай уточнила я. Лиза частенько возмущалась какими-то телепередачами или публикациями в желтой прессе.

— О твоем бывшем, слава богу, бывшем!

— Да, Лиза, меня уже просветили.

— Если я его встречу, я плюну ему в его поганую рожу! А ты должна подать на него в суд! За диффамацию!

— Лиза, помилуй, какой суд? Зачем? Об этом надо просто забыть.

— А Катя? Что будет с девочкой?

— Знаешь, Лиза, Катя узнала об этом раньше нас всех, пошла к своей классной и заявила, что не желает больше носить его фамилию. И я немедленно напишу заявление в школу, пусть лучше будет Муромцевой.

— Вот это да! Ах, как бы радовался твой папа! Она вся в него! — всхлипнула Лиза. — Скажи ей, что я ею горжусь!

И до меня вдруг дошло — я тоже горжусь своей дочкой, безмерно горжусь!

Но надо браться за работу. К завтрашнему дню я должна высосать из пальца приблизительное развитие сюжета еще серий на пятьдесят, при этом нужно воскресить из мертвых двух персонажей. Жуть какая-то... Но рейтинги высочайшие и сворачивать эту бодягу никто не собирается. Я в нашей группе считаюсь самым креативным сценаристом. Одного из героев нам пришлось в свое время срочно убить, так как артист Шмелев не выдержал марафона и слинял в другие проекты. Но сейчас он согласен вернуться. Он знаменитый, красивый и продюсеры ухватились за эту возможность. А другой персонаж вроде бы утонул, но сейчас должен всплыть... так как артист за это время успел получить какую-то премию, о нем много писали и продюсеры посчитали, что он нам еще пригодится. Ну с всплытием утопленника мы разберемся легко, а вот что случилось с главным героем, всеми давно оплаканным, будет придумать куда сложнее, ведь героиня за это время уже обзавелась новой любовью и мне лично этот новый герой нравился значительно больше прежнего. Но меня никто не спрашивает, мне просто дают задание... С одной стороны это хорошо, что сериал продолжается, по крайней мере гарантированная работа и соответственно заработок, но с другой мне уже стыдно людям в глаза смотреть, такую хрень производим... Но рейтинги превыше всего! Так куда же девался главный герой и кого вместо него похоронили? Да, задачка. Но тут прибежал из школы Гришка, румяный, веселый, голодный.

— Мама Лера, я пятерку получил! По рисованию!

— Молодец, Гришаня! А Катерину не видел?

— Видел, она сказала, что скоро придет! Но чтоб мы ее с обедом не ждали. Только мы все же подождем, ладно?

— А ты с голоду еще не помираешь?

— Если дашь морковку, не помру!

Гришке глазной врач прописал есть морковку и он ее страстно полюбил. Морковку раз в неделю нам поставляет из своего погреба моя тетка, Лизина мать, она выращивает ее на даче каким-то особым способом и хранит в песке, каждый раз напоминая: «Моя морковка лучшая в Московской области. Без нитратов!» — и втыкает в морковку какой-то приборчик, подтверждающий ее правоту. Я моментально почистила ему две морковки, он сунул одну в рот и помчался к компьютеру. А я подумала: какое счастье, что я выбрала Гришку, а не писателя Лощилина...

А вскоре явилась и Катька. Вид у нее был совершенно обычный, невозмутимый. Я покормила детей обедом, потом Гришка отправился гулять во двор вместе с другом Петькой и его немецкой овчаркой Бобби. Я заметила, что Катерина время от времени как-то испытующе на меня посматривает. Хочет понять, знаю я уже о папочки́ном интервью или нет. Я не хотела сейчас говорить об этом и сходу спросила:

— Кать, поможешь воскресить Ивана?

— Мать, ты что? Зачем?

— Велели! Шмелев возвращается.

— Ну ни фига себе! Совсем они там у вас чокнулись, что ли?

— Кать, ну ты же все знаешь, помоги! А то ничего не придумывается!

— Надо помозговать!

— Вот-вот, помозгуй, а я пока воскрешу Василия, это проще. Никто ж не видел, как он утонул...

— Во дурдом!

— Да, только вот амнезия никак не подойдет, у нас уже и так три амнезии было...

Она ушла в комнату и вдруг прибежала, сияя.

— Мать, я все придумала! Это не Иван воскреснет, это вернется откуда-нибудь его брат-близнец, о котором никто не знал. И идиотизма меньше и Шмелев при деле будет! Как тебе такая идея?

— Гениально! Катька, золото мое! Это будет другой человек, с ним и Шмелеву не так тошно будет и вообще такой простор открывается... Блеск!

И я решила немедленно позвонить продюсеру.

— Саш, привет, Муромцева. Я придумала, как поступить с Иваном! — И я изложила ему Катькину идею.

— Слушай, старуха, это супер! Такие возможности открываются... И дури меньше... Ну, ты мозг! А с Василием что?

— Да это просто. Подобрала его какая-нибудь знахарка, выходила и он до поры до времени затаился, у него ж нет документов, да и вообще... И знахарка нам эта тоже еще сгодится...

— Да, старуха, ты просто находка, а то у наших всех уже мозги отсохли, а ты еще свеженькая... Главный там уже новый проект обмозговывает, предложу тебя в качестве ведущего сценариста. Возьмешься?

— А меня же сожрут!

— Не, группу новую возьмем, из молодых, а ты их обучишь... Ладно, к этому вопросу мы еще вернемся. А пока низкий тебе поклон!

— Ну что, мать?

— Низкий тебе поклон, Катюха! Иди ко мне, моя радость!

— Мам, знаешь, я хотела с тобой поговорить...

У меня упало сердце.

— Давай поговорим.

— Мам, скажи... Ты... Ты папу любила?

— Любила, очень любила.

— А теперь уже разлюбила?

— Не теперь, давно уж...

— А тогда почему у тебя никого другого нет?

— Катюх, а мне зачем? Да и кому я сдалась...

— Из-за нас с Гришкой?

— Да причем тут вы?

— Но ты же красивая.

— Да нет, я не красивая, я разве что интересная. А это уже надо уметь оценить.

— А ты сексуальная?

— Чего? — ахнула я.

— Ну, сейчас ведь это вроде бы главное... Быть секси... разве нет?

— А бог его знает. Не до того мне... Да и возраст уже...

— Мама, это просто смешно! Тридцать три года, в наше время это не возраст. А вообще я хотела поговорить о другом... Значит, тебе на папу уже наплевать?

— С высокого дерева. Кать, ты часом не «Цепь событий» имеешь в виду?

— Ты уже в курсе?

— А как же! Мне телефон оборвали. А тебе кто сказал?

— Да девчонки в школе... Мам, я хочу сказать, что не буду больше носить его фамилию. И прошу тебя написать заяву директору, чтобы я считалась Муромцевой. Ты не против?

— Ну, Катюха, ты даешь! — я разыграла удивление. — Ты крутая! Но я согласна, сегодня же напишу... Только я не уверена, что этого достаточно.

— Я поговорила с нашей Аннушкой, она говорит, что это можно, пока у меня паспорта нет. И в паспорте я тоже буду Муромцевой! Мам, а мы без его денег могли бы обойтись?

— Вот даже как!

— Понимаешь, он там пишет...

— Катюха, плевать на то, что он пишет!

— Мамочка, ну давай ужмемся как-то... Обещаю, что ничего просить не буду и потом... не так уж много он платит... Ничего от него не хочу! — На глазах у нее закипали злые слезы.

— А ведь ты права! Катюха, любимая моя, ты у меня самая лучшая... — уже ревела я. — И нам никто не нужен! А особенно в свете того, что ты придумала. Меня обещают сделать ведущим сценаристом на новом проекте, а это лучше оплачи-

вается. Все, решено! Как только придет перевод,
я отправлю его назад!

— Мамочка, миленькая... Я... Спасибо тебе!
Ты у меня самая понимающая мама на свете!

И мы обе заревели в голос.

И действительно, вскоре пришел перевод, как
обычно, на десять тысяч рублей. Что ж мы, не
обойдемся без этих денег? Да это просто вопрос
чести! И я отправила их назад, приписав: «Спасибо, но больше мы в твоих деньгах не нуждаем-
ся». Полагаю, он только обрадуется.

Как-то вечером, возвращаясь со студии, я
увидела в нашем дворе пожилую женщину, которая выгуливала дивной красоты ирландского сеттера. Я даже остановилась, чтобы полюбоваться
собакой.

— Какой же он у вас красавец, с ума сойти! —
вырвалось у меня.

Женщина улыбнулась.

— Да, он у нас чемпион Европы, — с гордостью сказала она.

— А как его зовут?

— Денди.

— О, и впрямь денди... А можно его погладить?

— Можно.

Я с удовольствием погладила шелковистую, цвета красного дерева голову пса. Он посмотрел на меня добрыми карими глазами.

— Что-то я раньше вас здесь не видела.

— А мы только на днях переехали.

— А. Вы из третьего подъезда?

— Да.

— Значит, мы теперь соседи. Думаю, мой сын просто с ума сойдет. Он помешан на собаках.

— А вашего сына не Гришей звать? — улыбнулась женщина.

— О, так вы с ним уже знакомы! А я Валерия Константиновна, можно просто Лера.

— А я Вита Адамовна.

— Очень приятно. Ну, я побегу, а то дети уже заждались.

— До свидания, Лерочка. У вас прелестный сын.

— Спасибо!

На возврат денег мой бывший муж никак не отреагировал, я была права, похоже, он просто обрадовался.

Я ехала по делам, когда зазвонил мобильник.

— Валерия Константиновна?

— Да.

— Я Роза Москвитина из журнала «Цепь событий». Вы, вероятно, читали интервью с вашим бывшим мужем?

— Нет, я такую пакость не читаю. Но наслышана.

— Мы хотели бы вам предложить написать что-то о нем, о вашей жизни... Вы ведь сценарист, то есть могли бы...

— Знаете, девушка, я...

— Мы вам заплатим и неплохо.

— Публичное копанье в грязном белье мне претит, уж извините.

— Вы категорически отказываетесь?

— Категорически.

— Что ж, дело ваше. Всего хорошего.

— И вам не хворать.

Поразительно, сколько народу читает все эти пакости! Сегодня на студии ко мне подходили люди — кто с утешениями, кто буквально требовал, чтобы я ответила бывшему супругу в том же духе, а я даже не удосужилась прочесть это пресловутое интервью. Я давно уж разочаровалась в

своей давней любви, так зачем еще и это? Мне-то
по большому счету плевать, но вот Катюха страдает, я это вижу, и все ее демарши — просто попытка мести отцу-предателю. Господи, зачем ему
это понадобилось? А какой был когда-то парень!
Я училась во ВГИКе, на сценарном, он уже окан-
чивал Литинститут. Это было его второе высшее
образование. Перед тем он окончил МАИ. По-
работал на радио. Мы познакомились в трамвае.
Нам надо было выходить на одной остановке, но
полил такой дождь, что я замешкалась на под-
ножке, а он вдруг накинул мне на плечи свою
кожаную косуху и буквально выволок из трамвая,
так что я и опомниться не успела.

— Бежим! — крикнул он и, схватив меня за
руку, потащил под навес какого-то магазина. И
лишь когда мы уже были под навесом, я посмотрела на него. Он был веселый, но при этом какой-
то взрослый.

— Где же ваш зонтик? А, девушка?

— Ненавижу зонтики!

— А как же вы в дождь? Мокнете?

— Мокну! — засмеялась я.

— А как же мама вас из дому без зонтика
выпускает?

— А у меня нет мамы, а старшая сестра тоже
не любит зонтики, она их все время теряет.

— О, значит, это у вас семейное?

Вот хам, подумала я. Спросил про маму, и даже не извинился, узнав, что у меня нет мамы.

— Вы простите меня за невольную бестактность, — тут же сказал он и смущенно улыбнулся. Вот тут-то я в него и влюбилась.

— Ладно, прощаю, а вы-то сами почему без зонта?

— Просто забыл, с утра ничто не предвещало... А как вас зовут? Меня — Дима!

— А меня Лера, очень приятно!

Красивым его никак нельзя было назвать, но у него была чудесная улыбка, хороший рост, коротко стриженые волосы, в которых поблескивала ранняя проседь, и большие серые глаза.

Когда дождь кончился, он повел меня в какую-то кафешку греться. Мы пили кофе и все не могли наговориться. Он страшно удивился, что такую молоденькую девчонку приняли на сценарный.

— Признайся честно, у тебя был блат? — допытывался он.

— Нет, просто мой рассказ страшно понравился мастеру...

— Рассказ или твоя прелестная мордашка?

— Про мордашку мне никто ничего не говорил! — возмутилась я.

— И мастер не делал тебе никаких гнусных предложений?

— Да вы что! Ему уже за семьдесят!

— Ага, значит вприглядку...

— Фу, Дима!

— Да что фу? У нас без блата попасть во ВГИК просто нереально, а тем более такой девчонке...

— А вы в институты ваши тоже по блату попадали?

— Да, тебе пальца в рот не клади! — засмеялся он, но на вопрос не ответил. — А все же сколько тебе лет? Только не говори, что женщинам такие вопросы не задают, ты еще девчонка!

— Мне девятнадцать! А вам?

— А мне двадцать девять! Лерочка, я наверное стар для тебя, да?

— Ничуточки! — расхрабрилась я. Он так мне нравился! — А что вы пишете?

— Сложные романы.

— Почитать дадите?

— У меня пока нет изданных, правда, последний роман взяли в одно большое издательство.

— И как он называется?

— А тебе зачем? — засмеялся он.

— Чтобы прочитать, когда выйдет.

— А ты что, не хочешь больше со мной встречаться?

Я вспыхнула.

— Хочу, очень хочу...

— Ну так я подарю тебе роман с нежной надписью.

Чтобы преодолеть захлестнувший меня восторг и не показать ему, я пробормотала:

— Ну, может, к тому времени вся нежность уже улетучится.

— Вот это да! — хлопнул он в ладоши. — Надо же! А я непростую рыбку выловил в трамвайном аквариуме... Сдается мне, что золотую... — И он так посмотрел на меня, что я совсем сомлела.

— Но я...

— Желаний у меня для рыбки масса, но для начала только три, по традиции.

Я замерла. От испуга.

— Первое желание — твой телефон.

— О, это выполнимо! А второе?

— Не все сразу. Вот, отлично! Первое желание рыбка исполнила. — Он спрятал записочку с моим телефоном в карман. Поглядел на часы.

— Извини, мне пора бежать. Дождь давно кончился.

...Он позвонил только через неделю, когда я окончательно пала духом и потеряла надежду. Инка, старшая сестра, утешала меня, а наш мастер Евгений Фридрихович вдруг спросил:

— У девочки взрослые страдания? Поганый мужик с горизонта смылся?

— Почему поганый? — шмыгнула носом я.

— Ну, если заставляет страдать такое прелестное создание, значит, конченый поганец! Ничего, девочка моя, это на пользу. Авось потом про это напишешь и получится искренне, не придумано. Ничего, найдется, не этот, так другой! Главное, запомни, не надо зацикливаться на мужиках. И тебе вредно и они, козлы вонючие, этого не любят и не ценят. Знаешь, формула Александра Сергеевича, ну насчет того, что чем меньше женщину... она и для мужиков справедлива... И не вздумай растворяться в мужике... Последнее дело для талантливой девушки. Все, иди, урок жизни на сегодня окончен. — И он не больно шлепнул меня по попе.

Надо заметить, что урок мастера не пропал втуне. Мне стало легче. В конце концов мало ли что взрослый мужик натрепал девчонке в кафе! Плюнуть и растереть!

...— Здравствуй, золотая рыбка! — без всяких предисловий начал он. — У меня созрело второе желание. Сегодня же увидеть тебя!

Мне это показалось жутким нахальством. Ни тебе здрасьте, ни тебе извините... И я ответила:

— Золотая рыбка далеко уплыла и вас не слышит. Так что...

— Обиделась, — как мне показалось, разочарованно констатировал он. — Так я и думал. Пойми, чудачка, я был страшно занят.

— Да нисколько я не обиделась, просто мне не нравится быть рыбкой, готовой исполнять всякие желания совершенно чужого человека! — выпалила я. — А теперь здравствуйте!

— О-па! Круто! — расхохотался он. — Это называется отлуп по полной программе! Молодец! Ну, здравствуй, моя хорошая, — уже совершенно другим, каким-то задушевным тоном проговорил он. — Может, сходим сегодня в театр? Ужасно хочу тебя видеть.

— В театр? В какой?

— А не все ли равно?

— Мне — нет!

— Тогда, может, просто встретимся и решим, куда двинуть, а?

— Ну... ладно, давайте встретимся. Только забудьте о золотой рыбке!

— Суровая барышня! Хорошо, забыл.

Мы встретились, а через два месяца и поженились. Инке он не нравился, но она не вмешивалась. А вскоре и сама вышла замуж и уехала с мужем работать по контракту в Канаду. Они оба были микробиологами. И мы с Димкой остались вдвоем в трехкомнатной квартире наших с Инкой родителей. Со своей матерью Димка был в плохих отношениях. Даже не познакомил нас перед свадьбой, хотя никакой свадьбы у нас и не было, просто расписались и уехали в Питер. Конечно, мне хотелось всей этой свадебной мишуры, гостей, белого платья, но Дима сказал, что это все пошлость, денег на это у нас нет и лучше побродить по Питеру в белые ночи... Единственное, что мы себе позволили — двухместное купе. Теперь, насмотревшись на свадьбы подруг, я понимаю, что он был прав, а тогда я грустила, но не подавала виду. Ведь у меня такой строгий, такой умный, такой взрослый муж! К тому же талантливый писатель. Через три месяца после так называемой свадьбы вышла его первая книга. Мне не нравились его романы. Такие мудреные, такие мрачные... Помню, мой любимый мастер, Евгений Фридрихович, прочитал его первую книгу и как-то спросил меня:

— Скажи, деточка, а тебе-то самой это нравится?

— Конечно! — покривила я душой.

— А по-моему, ты врешь. Он, конечно, пером владеет, писать может, но эти его писания вызывают в памяти гениальную фразу Довлатова: «Мрачность ИЗДАЛЕКА напоминает величие духа». Понимаешь, о чем я?

— Да, — густо покраснела я.

— Но он, конечно, будет иметь успех. У нас мрачность в большом почете. Многие к тому же любят, чтоб было непонятно... Это ведь так красиво сказать — ах, я так люблю книги Н. А кто-нибудь простодушный спросит: «А ты там что-нибудь понял?» — «Конечно!» Кстати, по-моему, это для таких вот дамочек и пишется, уж извини.

А вот Димкина мама мне, наоборот, понравилась. В ней, в отличие от сына, была какая-то очаровательная легкость. Мы совершенно случайно столкнулись с ней в театре «Современник». И он наконец представил меня ей.

— Вот, мама, познакомься, это Лера, моя жена.

Мне было так стыдно в этот момент, но Елена Павловна, кажется, все поняла. Она вдруг ласково улыбнулась, потрепала меня по плечу и сказала с прелестной улыбкой:

— Лерочка, мой сын довольно мрачный тип, поэтому, когда устанете от него, звоните мне, пообщаемся. И я мечтаю о внучке!

— Какая у тебя чудесная мама! — искренне сказала я, когда мы шли домой. — Почему ты с ней не ладишь?

— Она слишком легкомысленное создание. И это еще мягко сказано, — пробурчал он. — Но если ты хочешь с ней общаться, ради бога. Только без меня, ладно?

И мы стали общаться. Без него. Она очень нежно ко мне относилась. А как она была счастлива, когда родилась Катька! Учила меня всему, помогала по мере сил, но через полтора года вдруг выскочила замуж за овдовевшего друга юности и уехала с ним за границу. Первое время еще писала мне, а потом перестала. Мы только изредка созванивались.

— Я же предупреждал, что у матушки легкость в мыслях необыкновенная, — констатировал муж. — Ах, я хочу внучку! Ах, какое счастье наша Катька! И вдруг вильнула хвостом... Теперь ты меня понимаешь?

— Знаешь, Дим, будь твоя мама другой, она бы очень страдала из-за твоего отношения...

— Будь она другой, и отношение было бы другим.

— А разве нельзя любить маму просто за то, что она твоя мама?

— Наверное, можно, но у меня не получается.

А маленькую Катьку он как будто бы обожал. Возился с ней, гулял, тетешкался.

А потом погибла Инка и ее муж. И маленький Гришка остался один. Ну разве могла я не взять его? Поначалу Димка молчал, не возражал, потом как-то сорвался, наорал на меня. Я зашивалась и упустила из виду какую-то его мелкую просьбу. А он заорал, что в доме стало невозможно жить, а работать и подавно! Это был только первый звоночек. Потом эта тема стала возникать постоянно. Он куда-то уезжал на месяц, иногда на два, Катька скучала, а я отдыхала душой. Но через полгода он вдруг заявил, что уходит. Он, мол, любит и меня и Катьку, но двое детей в доме для него непереносимо, и ушел. Как выяснилось, ушел к красивой молодой актрисе. С тех пор у него этих актрис сменилась уже целая вереница... А он стал модным писателем. Иногда, не часто, появлялся на телеэкране. Давал интервью в журналах, номинировался на «Букера», вошел в шорт-лист, но премию не получил. Думаю, его это больно уязвило. А впрочем, бог с ним!

...Как-то вечером я решила пойти в магазин на соседней улице. Он недавно открылся и кто-то из соседей говорил, что там очень свежие продукты. Мне этот магазин категорически не понравился, там все было, может, и свежее, но выглядело как-то неаппетитно. А цены оказались очень даже высокими. Ну и зачем мне эта радость? Я купила только пол-литровую банку клюквенного йогурта на пробу и пошла домой. И вдруг увидела, что на газоне лежит ирландский сеттер. Живой, но явно в полном изнеможении.

— Денди! — позвала я.

Пес сразу поднял голову. Сел.

— Денди, ты что тут делаешь? Где твоя хозяйка?

Пес был весь какой-то грязный, шерсть пыльная, и на ошейнике болтался обрывок поводка. Ничего себе! Похоже, пес потерялся.

— Денди, бедный, ты потерялся? Пойдем домой?

Он заскулил.

Я решительно взяла его за ошейник.

— Идти-то сможешь?

Он пошел со мной рядом, только чуть прихрамывая.

Я позвонила в квартиру новых соседей.

— Кто? — раздался мужской голос.

— Простите, это не ваша собака?

Дверь мгновенно распахнулась.

— Боже мой, Денди! Спасибо вам огромное. Где вы его нашли?

Мужчина присел на корточки и обнял пса. Ему было лет 35—40. И выглядел он почти таким же помятым и неопрятным, как и Денди.

— Вот радость-то! Да вы заходите. Может, хотите кофе?

— Да нет, спасибо, я пойду.

— Ох, простите! — Он вытащил из валявшегося на подзеркальнике бумажника три тысячных купюры.

— Вы что, с ума сошли?

— Почему? За вознаграждение... — смутился он.

— Я не за вознаграждение, я просто по-соседски!

— Извините ради бога! Я просто думал... Мы тут объявления расклеили... Простите, пожалуйста!

— Ладно! Я рада, что Денди обрел хозяев.

— Надо срочно сообщить маме, она так убивалась. Ох, а как вас зовут?

— Валерия Константиновна. Всего доброго!

— А я Игнат!

— Очень приятно. И всего хорошего.

Я поспешила уйти. Он мне не понравился.

...— Мама, тебе тут обзвонились! Ты мобилу забыла! — сообщил Гришка.

— Ох, в самом деле!

Я проглядела все вызовы. Ничего волнующего или срочного. И пошла готовить ужин. Гришка явился мне помогать.

— А где Катерина?

— У Наташки. Мама Лера, а ты знаешь Денди? Он пропал! Такой хороший был... А вдруг его гицель увез?

— Кто? — не поняла я.

— Гицель.

— Постой, ты откуда это слово знаешь?

— Тетя Валя из тридцать второй сказала — его небось гицель увез! Гицель — это плохой человек, да?

— Наверное. Но только его никто не увез. Я его нашла и только что отвела домой.

— Правда? — просиял Гришка. — Мамулечка, какая ты хорошая! Вот тетя Вита, наверное, обрадовалась.

— Ее дома не было, только ее сын.

— У нее есть сын?

— Да. Он сказал — вот мама обрадуется!

— А сын большой?

— Ага! Здоровенный!

Гришка, похоже, был разочарован.

— А что у нас сегодня на ужин?

— Салат с креветками.

— Ура!

Вскоре явилась Катерина и мы сели ужинать. Меня то и дело дергали по телефону, то одно, то другое. Никак не удавалось спокойно посидеть с детьми. Я пришла в крайнее раздражение. Хоть бы один приятный звонок... Но часам к десяти все кончилось. Гришка уже спал, а Катерина что-то читала. Надо сказать, мой ребенок все свободное время читает книги, и Гришка, глядя на нее, тоже начал читать. И это меня безмерно радует. Многие мои знакомые жалуются, что их дети не желают читать. А мои...

— Катюха, спать не пора?

— Мам, я только главу дочитаю...

В этот момент в дверь позвонили.

— И кого черт принес? — проворчала я и пошла открывать.

— Кто там?

— Лерочка, дорогая, открой! Это Елена Павловна!

Господи, бывшая свекровь! Я распахнула дверь, и мы кинулись друг другу в объятия.

Елена Павловна плакала.

— Что с вами? Почему вы плачете?

— Как же я рада тебя видеть! А где Катюшка, она дома?

— Катя!

Но Катька уже выскочила в прихожую. Бабушку свою она не помнила. Елена Павловна уехала, когда ей было неполных два годика.

— Боже мой, какая ты стала! Совсем большая! — рыдала Елена Павловна. — Катенька, я твоя бабушка... Ты меня совсем не помнишь?

— Извините, нет, не помню, — довольно сухо ответила Катька.

— Хотя чего удивляться, бабушка-кукушка... — всхлипнула Елена Павловна.

Катька вдруг улыбнулась. Видно, обаяние Елены Павловны не оставило ее равнодушной.

А та схватила Катьку в объятия, стала целовать.

— Катенька, родная, прости меня, солнышко, я такая беспутная старушка...

— Вы не старушка, — заметила вдруг Катерина. — Вы просто... немолодая дама.

— Батюшки светы! Какая у меня внучка!

— Послушайте, что мы торчим в прихожей? Елена Павловна, хотите чаю? Может, вы голодны?

— А винца у тебя сухого нет? Я вечером пью только бокал сухого вина.

— Есть! Пошли тогда в комнату. Катюха, тащи бокалы!

— Сколько? — осведомилась Катька.

— Два! А тебе пора спать!

— Я слишком поздно, да? Но я только сегодня прилетела, вещи в отель забросила и к тебе!

— Почему в отель? — несказанно удивилась я.

— Так моя квартира сдана.

— А вы надолго в Москву? — спросила Катька, доставая из буфета бокалы.

— Как поживется... Господи, до чего же я рада вас видеть, девчонки! Я вам подарки привезла, целую кучу, но оставила все в отеле, я ж не была уверена, что застану вас... Но завтра я приглашаю вас на обед, завалимся в какой-нибудь шикарный ресторан... А сейчас, Катюня, иди спать, тебе же завтра в школу!

— Ладно, — засмеялась она, — ясно же, вам поговорить охота! Тогда до завтра, бабушка!

— Солнце мое! — воскликнула Елена Павловна и опять залилась слезами.

Катька удалилась.

— Боже, какой ребенок! Лерочка, а ты... Ты не против... что я... опять появилась...

— Боже мой, почему я должна быть против?

— Ну, после этой Димкиной статьи... Это же ужас что такое... Я как прочитала, сразу заказала билет в Москву! Как можно? Я никогда его не понимала... Что он за человек? В кого? Его отец был добрым, порядочным... Лерочка, детка, почему вы расстались? Ты не вынесла его характера? Но ты ведь любила его, и он тебя как будто тоже... Что произошло? Ты прости, что я поздно спохватилась... Меня на старости лет так закружило... У меня уж два мужа сменилось...

— Ничего себе! — воскликнула я.

— Сейчас речь не обо мне! Расскажи, почему вы расстались?

Я рассказала.

Она внимательно меня выслушала.

— Теперь мне многое понятно... Знаешь, почему он дал это интервью?

— Да какая разница!

— Он просто не смог простить тебе, что ты выбрала не его, а мальчика...

— Это его проблемы! Он же в конце концов не безмозглый эстрадный звездун, а писатель, интеллектуал, должен соображать... Как можно так о своем ребенке... Как бы он ко мне ни относился, но Катька-то тут причем?

— Ты не думай, я его не оправдываю, я просто пытаюсь сама понять... А я, кстати, не хочу с ним встречаться.

— Ну, это уж вы зря.

— А мы с ним никогда не были близки. И я ему сто лет не интересна. Он мне звонит примерно раз в два года... Я ему совершенно не нужна. Вот такое чудовище я вырастила. Ты простишь меня, Лерочка?

— А мне-то за что вас прощать?

— Ты всегда мне нравилась, я очень нежно к тебе отношусь, ну что ж делать, что я такая легкомысленная... У меня была тяжелая молодость, вот я на старости лет и наверстываю...

— Какая вы молодчина!

— Лерочка, расскажи, как ты-то живешь? Димка хоть деньги дает?

— Давал, десять тысяч в месяц. Но после этого интервью Катюха взмолилась: мама, давай лучше ужмемся, но не будем брать у него деньги...

— Ах, какая девка!

— И фамилию его она отказалась носить.

— Знаешь, я ее уважаю! По-настоящему! Ну, а у тебя-то есть какой-нибудь мужик?

— Нет, постоянного нет. Так, изредка, что-то бывает...

— Что называется, для здоровья?

— Ну да. Но у меня и времени нет. Столько работы...

— А где ты работаешь? Ты же училась на сценарном?

— Можно сказать, по специальности и работаю. Пишу бесконечные и безразмерные сериалы.

— Слушай, а я смотрю наши сериалы, но на сценаристов как-то внимания не обращала...

— И «Фамильный браслет» смотрите?

— Да. Сама удивляюсь, что за дурь, но смотрю. Мне только жалко было, что этого Ванечку убили... Мне Шмелев очень нравится, — чуть смущенно улыбнулась Елена Павловна.

— Могу вас порадовать. Он вернется в сериал.

— Неужто воскреснет?

— Нет, но появится его брат-близнец.

— Правда? Здорово!

— Кстати, этого близнеца Катюха придумала.

— Да что ты говоришь? Вот умница!

— Да, она меня частенько выручает, когда мозги совсем уж засыхать начинают.

— И за это прилично платят?

— Да не очень, но справляемся. Елена Павловна, расскажите о себе, что там у вас за бурная жизнь?

— Ой, не говори! Ну, ты же помнишь наверное, я уехала в Испанию, с Мигелем. Такая любовь была... А мне, прошу заметить, пятьдесят пять стукнуло на тот момент. Я думала, это уже последнее чувство... Где там! Через два года мы разошлись. Ну не могли понять друг друга... А я встретила случайно в Толедо своего одноклассника, Володю Циммермана. Он жил во Франции и недавно овдовел. И у нас случился бурный роман... Он превосходный музыкант, играл в оркестре Гранд-опера. Это были прекрасные годы. Но он вдруг возьми и умри, а мне уж за шестьдесят, о чем тут еще думать... Володя оставил мне в наследство хорошую квартиру в Париже и кое-какие денежки, но я начала подыхать с тоски и одна моя подружка, тоже из русских, богатая дама, управляющая сетью магазинов крупной дизайнерской фирмы, предложила мне место администратора в их магазине в Касабланке.

— Где? — ахнула я.

— В Касабланке, представь себе. И я согласилась. Мне платили хорошие деньги, я знаю три европейских языка, не считая русского, а русских в Марокко великое множество. И вот сейчас я опять замужняя дама. Мой муж француз, архитектор, исключительно интересный мужчина... Лера, ты должна с детьми приехать ко мне, у меня такой дом... Это просто чудо! Я такие раньше только в кино видела! Я тебе завтра покажу фотографии. Марокко такая интересная страна!

— Боже мой, Елена Павловна, вы чудо! И вы так прелестно выглядите!

— Для своих лет, пожалуй, — засмеялась она. — Нет, правда, приезжай!

— Но там же, наверное, очень жарко?

— Если приехать в сентябре, это идеально!

— Но в сентябре дети учатся!

— Ну пропустят две недельки в начале учебного года, большое дело! А я найду тебе там мужа...

— Ох, меньше всего на свете я хочу мужа. С меня хватит. Ой, Елена Павловна, а Димка знает о ваших похождениях, иначе и не назовешь?

— Ну, весьма схематично. Я просто ставила его в известность о своих географических перемещениях... Ну и о смене мужей, естественно.

— И он ни разу не приезжал к вам?

— Нет, хотя я его приглашала. Но он только фыркал.

— Ой, а на каком языке вы говорите с вашим марокканским мужем?

— На русском. Первая его жена тоже была русская. Но она умерла, а их единственная дочь погибла в автокатастрофе. Он замечательный человек, талантливый архитектор, человек широко образованный. Мне с ним так интересно...

И он будет счастлив, если ты с детьми к нам приедешь... Он очень любит детей, а его Аллах обделил детьми...

— Аллах? — переспросила я.

— Я по привычке, — улыбнулась она.

— С ума сойти от вас, Елена Павловна, я просто в восторге! У нас на студии полно молодых девчонок, которые уже отчаялись найти приличного мужика, а вы... Я им о вас расскажу, чтоб надеялись...

— Вот-вот, в этой жизни все возможно... Даже разочарование в собственном сыне.

— Елена Павловна!

— Что Елена Павловна? Ну как можно дойти до того, чтобы собственную единственную дочку назвать злым зверенышем? Это что? Это как? Я когда прочитала, чуть с ума не сошла... Рассказала Франсуа, он сразу заявил: ты должна поехать в Москву и объяснить сыну... А я вот к тебе примчалась. И так рада, что Катька наша такая умная и гордая...

— Но вы все-таки намерены с Димой встречаться?

— Пожалуй, нужно! И я ему все выскажу, пусть знает, что́ родная мать о нем думает, хоть он меня всерьез и не принимает. Я ужасно рада тебя видеть, но ты меня огорчаешь.

— Чем?

— Ты явно на себя рукой махнула. У тебя какой-то запущенный вид...

— Но я...

— Я знаю все, что ты скажешь! У тебя мало времени и денег, двое детей, работа... Но это не оправдание. Посмотри, какая у тебя сухая кожа! Ну, с этим мы справимся. Я привезла тебе аргановое масло и всякие марокканские штучки... И твоим гардеробом я тоже займусь. Негоже женщине в тридцать три года не обращать на себя внимание! Это преступно! И вообще, моя цель — выдать тебя замуж!

— Да боже упаси! Зачем мне замуж? Да и кому я нужна с двумя детьми?

— Чтобы я не слышала этой чепухи!

На следующий день я с детьми была в гостях у бывшей свекрови. Она навезла подарков нам с Катюхой, а так как о Гришке ничего не знала, то с утра успела купить ему айфон. Восторгу не было пределов. Потом мы обедали в ресторане, Елена Павловна рассказывала массу интересных историй, дети смотрели на нее влюбленными глазами. Да и я тоже. И как у такой матери вырос такой сын? Непостижимо!

Вечером, когда я зашла поцеловать Гришку перед сном, я заметила, что глаза у него заплаканные.

— Гриня, что с тобой?

— Я страдаю! — выпалил он.

— Оп-ля! Отчего это ты страдаешь, можно узнать?

— Оттого, что у меня нет бабушки! И никогда не было и не будет...

— А с чего ты взял, что не будет? Мне, например, Елена Павловна сказала: «Как я счастлива, что у меня появился еще и внук!» Так что, не страдай, считай, что у тебя есть бабушка.

— Она это из жалости?

— Нет, просто она любит детей!

— Ты меня не обманываешь?

— Зачем?

— Чтобы утешить...

— Нет, я считаю, что утешать враньем нельзя, это вредно...

— Кому вредно?

— Всем. Тебе вредно, потому что когда вранье раскроется, а рано или поздно любое вранье раскрывается, ты действительно будешь страдать. И мне вредно, потому что совесть будет мучить и вообще...

— А мы правда поедем в Марокко?

— Думаю, да. Но не раньше сентября, так бабушка сказала.

— Ой, как еще нескоро!

— Ничего, потерпим.

Гришка тяжело вздохнул.

— Ладно, потерпим.

Утром, спровадив детей в школу, я собралась ехать по делам. Вчера вечером я перед сном намазала лицо знаменитым аргановым маслом. И сегодня выглядела куда свежее, чем вчера. Надо же! От этого сразу поднялось настроение.

Когда я вошла в лифт, там стоял какой-то упоительный запах. Это мужской одеколон, сразу определила я. Господи, да за мужиком, который так пахнет, я бы пошла на край света... Он должен быть высоким, широкоплечим и неотразимо элегантным. Гладко выбритым и вообще прекрасным... Что это со мной? Откуда эти мысли о мужиках? Со мной такого давным-давно не было. Неужто из-за капельки арганового масла на морде во мне проснулась женщина? Или все-таки от этого волшебного запаха? Подобные мысли не отпускали меня и в машине. Этот запах я слышала впервые, значит, в лифте до меня ехал кто-то не из нашего подъезда. Или новый жилец с ирландским сеттером? Да нет, такой не может пользоваться этим роскошным одеколоном. Да и на студии и на канале никто этим парфюмом не пользовался, я бы обратила внимание. Значит, этот мужчина приезжал к кому-то... А скорее всего ночевал у кого-то. Но не возит же он с собой одеколон? Хотя... Если он метросексуал, то запросто может. А ночевать он мог разве что у Таньки Соломатиной, у нее модельная внешность, она вообще шикарная женщина. Да, скорее всего! А может, она подарила своему мужику этот одеколон... Вполне возможно... А что если женщина надушится мужским одеколоном? Может получиться интересно... Вот корова, о чем я думаю? Совсем с ума спятила...

Елена Павловна с утра пребывала в дурном настроении, так как с вечера решила, что завтра непременно позвонит сыну. И, по возможности, увидится с ним. Как получилось, что он вырос таким жестоким, бесчувственным? Пошел в деда, тот тоже был недобрым... Да ну, вспоминать о покойном свекре не хотелось. Но и встречаться с сыном не хотелось тоже. Однако он может узнать, что я была в Москве, и получится дурацкая демонстрация... Нет, надо позвонить, но сперва следует позавтракать. Елена Павловна оделась, привела в порядок лицо, надо же, для своих лет я еще о-го-го! Настроение поднялось и она отправилась завтракать. После марокканского кофе любой кофе казался ей отвратительным, и она налила себе чаю. А вот пирожки с капустой тут поистине восхитительные. И вдруг Елена Павловна поймала на себе пристальный взгляд какого-то мужчины. Ему было от силы лет сорок, а может и меньше. Она пригляделась. Его лицо показалось ей смутно знакомым. А мужчина, поймав ее слегка недоумевающий взгляд, поднялся из-за столика и подошел к ней.

— Елена Павловна?

— Да. А мы, кажется, знакомы?

— Я Марик, помните меня? Марик Косецкий.

— Боже мой, Марик! Какой ты стал! Красавец! Как я рада тебя видеть! Садись ко мне, поговорим! Ты не очень спешишь, а то болтливые старухи это так обременительно.

— Да что вы, Елена Павловна! Какая ж вы старая, вы все такая же... прелестная женщина! Но почему вы в гостинице? Вы тут остановились?

— Да, я приехала ненадолго...

— Но почему вы не у Димки? Как он, кстати? Сто лет его не видел.

— Но ведь и ты был москвичом, Марик.

— Да, но теперь я бостонец. У меня в Москве никого не осталось.

— А я теперь живу в Рабате.

— Это в Марокко? — поразился Марк.

— Да, представь себе, я замужем за марокканским французом.

— Обалдеть! Елена Павловна, вы просто чудо! И как вам там живется?

— Прекрасно! А ты женат, Марик?

— Был. Развелся. А Дима, он по-прежнему с Лерочкой?

— Увы, нет. И его новую жену или даму я еще не видела.

— Но у них ведь дочка была. Катюшка. Кстати, это я им присоветовал назвать ее Катюшкой. Она совсем большая, наверное.

— О да, скоро тринадцать и это такая девка, с ума сойти!

— То есть вы с ней уже виделись?

— Конечно!

— А как Лера? Вышла замуж?

— Да нет. Послушай, Марик, а она, мне помнится, нравилась тебе?

— Было дело. Но она же с ума сходила по Димке... А он ведь состоялся. Известный писатель теперь. Я тут видел на улице рекламу его новой книги...

— А ты что-нибудь читал?

— Да, я читаю все его книги. По-моему, он здорово пишет.

— А мне что-то не нравится. Сплошь какая-то мрачная заумь. Впрочем, ты же ученый, тебе такое нравится?

— Понимаете, я не могу сказать, что это мое. Но я вполне способен оценить.

— Надо же... Я даже рада, а то все говорят, что слишком сложно, слишком мрачно. Значит, кому-то это надо.

— Как странно, Елена Павловна, вы говорите о сыне как-то отчужденно, что ли... Впрочем, простите, если я был бестактен.

— А ты с ним видишься?

— Давно не виделся. Он раза два меня не то чтобы отшил, но...

Елена Павловна вспыхнула.

— Думаешь, я уверена, что он и меня не отошьет? Я ему еще не звонила.

— Да бог с вами, Елена Павловна, вы же его мать.

— Будем надеяться, — засмеялась она. — А хочешь я дам тебе Лерочкин телефон?

— А он у нее изменился? — вдруг покраснел Марик.

— Да нет. Только знаешь, у нее теперь двое детей. Она взяла осиротевшего племянника.

— А... Ну что ж, это вполне в ее духе. А чем она занимается?

— Пишет сценарии.

— Это здорово, она всегда к этому стремилась. Молодчина. Как вы считаете, Елена Павловна, она не будет против, если я ей позвоню?

— Да нет, конечно, с чего бы ей быть против?

— Что ж, попробую, — вдруг страшно смутился он. — Простите, мне пора бежать, у меня научная конференция...

— Да беги, беги.

А вдруг у Леры что-то сладится с Мариком? Он такой милый парень.

Вернувшись в номер, она решительно взялась за телефон. Ответил женский голос.

— Алло!

— Добрый день, могу я поговорить с Дмитрием Сергеевичем?

— А кто его просит?

— Его просит его мать!

— Мать? Какая мать?

— Что значит какая? Его родная мать!

— Ох, извините... Я не подумала... Да-да, я сейчас его позову.

Похоже, она даже не знает моего имени-отчества, а может и вообще не подозревала о моем существовании.

— Алло, мама! Ты в Москве?

— Да, представь себе. И хотела бы тебя увидеть.

— Но почему ж ты не позвонила заранее, я бы тебя встретил. Ты где остановилась?

— В гостинице.

— Ну зачем же...

— Не люблю никого стеснять. Так мы можем увидеться?

— Ну, разумеется, мама! Знаешь что, приходи сегодня вечером к нам, я познакомлю тебя с женой. Поужинаем, Марина чудесно готовит. А как твой француз?

— Лучше всех!

— Но ты приехала одна?

— Да.

— Ну что ж, скажи, где ты остановилась, я вечером заеду за тобой.

— А знаешь, кого я встретила тут, в отеле? Марика Косецкого.

— Да? Тебя это обрадовало?

— Меня — да! А тебе это неинтересно?

— Сказать по правде, совершенно неинтересно, мама.

— Так в котором часу мне тебя ждать?

— Примерно в половине восьмого, но, учитывая пробки, могу и опоздать. А кстати, в Марокко бывают пробки?

— Еще какие! Ну, до вечера, сынок!

Фу, как трудно с ним разговаривать. Какой он чужой... Единственный сын и такое отчуждение... Наверное, я сама в этом виновата. Но почему же Лерку я ощущаю как родную, не говоря уж о Катюшке? И этот трогательный малыш Гришка. Как можно было всех их бросить? Мне этого не понять. Но посмотреть, как теперь живет мой сын, известный писатель, здорово интересно. И что за жена у него?

— Послушай, Саш, я вчера видела отснятый материал.

— И что, голуба моя? Там исказили твой гениальный текст? — сразу вызверился на меня продюсер.

— Нет, с этой точки зрения все в порядке. Но...

— Но что тогда?

— Это никто не сможет смотреть!

— Почему?

— Ну нельзя в таких сериалах делать эти бесконечные проходы, трехминутные паузы, это же кошмар! Милена приезжает в дом Аркадия и молча бродит по нему, при этом твоя Курочкина играет из рук вон плохо, ну не может она такие паузы вытягивать и все валится. Зритель отвлечется с радостью на что угодно, а после этой тоски еще пойдет реклама и все, кирдык! Плакали наши рейтинги!

— Ты что, всерьез?

— Нет, это у меня такие шутки! Это ж не фестивальное кино, это сериал для домохозяек. Если нужно просто намотать метраж, так и скажи, я лучше придумаю массу каких-то мелочей, чем эту тягомотину устраивать! Собаку в кадр пустим или кошку, или птичку, как у Михалкова...

— Странная ты баба, Лерка! До всего тебе дело есть.

— А как же! Там, между прочим, мое имя стоит. И мне за работу деньги платят. А у меня двое детей, на минуточку! Если рейтинги упадут, нас как нечего делать прикроют. Пойми, это ж надо снимать профессионально, крепко, но самовыражение неудачника от большого кино нам все только испортит.

— Ох, не любишь ты Васю.

— Я вообще бездарей не люблю. Понимаешь, я ведь тоже мечтала писать сценарии к полнометражным фестивальным фильмам, но не случилось, бывает, так жизнь сложилась... Но это не значит, что я должна от обиды халтурить там, где работаю.

— Права, тысячу раз права, голуба моя! Я посмотрю и разберусь. Знаешь, Шмелев в полном восторге, что ему не придется воскресать. Он сказал: тот, кто придумал брата-близнеца, достоин приза! И он обещал, что купит тебе огромный торт! Поглядим, не забудет ли.

— Забудет, напомним! Моя команда обожает торты.

Я еще покрутилась на студии, рассказала двум коллегам женского пола о своей бывшей свекрови, те ахали, восхищались и завидовали.

— Это ж надо, за шестьдесят лет найти мужа...

— Но сперва надо еще было решиться в таком возрасте сменить Париж на Марокко.

— Отчаянная дама! А может, податься в Марокко? Говорят, интересная страна...

— Да ну, Леркина свекровь из тех, что и в Тмутаракани и в Майами без мужика не останутся... А кто она по профессии?

— Преподавала когда-то французский в Щуке.

— Ну надо же...

Я поехала домой. И вдруг обнаружила, что бензина у меня если и хватит до дому, то завтра я уже до заправки не доеду.

Как назло, народу на заправке не было, а я никак не могла открыть бензобак. Никого из обслуги тоже не было видно, холод собачий. Я сломала ноготь, достала резиновую перчатку, ничего не помогало. О, кто-то подъезжает, только бы не дамочка. Но машина серьезная, не дамская, джип-«лексус». Я бросилась к водителю, который даже не успел выйти.

— Здрасьте! Умоляю, помогите!

— Что случилось? — без особого энтузиазма откликнулся он. Это был довольно хмурый мужик, явно не в настроении.

— Не могу бензобак открыть, ноготь сломала, а тут никого...

Он молча подошел, глянул, протянул руку и мгновенно отвинтил крышку.

— Ой, как вы... Спасибо вам огромное.

— На здоровье, — буркнул он. И смерил меня оценивающим взглядом. То, что он увидел, ему явно не глянулось. Заполошная бабенка на старенькой «шкоде», все ее годы и неприятности на морде написаны.

Нет, с этим надо что-то делать! Одним аргановым маслом не обойдешься.

...Елена Павловна волновалась перед встречей с сыном. Она все-таки любила его, хоть за многое и осуждала. И простить ему пренебрежительное отношение к себе легко могла, она и сама не считала себя идеальной матерью, но вот обида, нанесенная им внучке, это уже совсем другое дело...

Он подъехал на красивой машине, в марках Елена Павловна не разбиралась. Сорокалетний мужчина с красивой проседью в темных волосах, элегантный. То, что называется интересный и какой-то значительный, что ли...

— Мама! Здравствуй! Ты чудесно выглядишь!

Он наклонился и расцеловал ее в обе щеки. Она растаяла.

— Димочка, мальчик мой, какой ты стал...

— Ну, садись, мама, поедем к нам. Я теперь живу на улице Красина.

— У новой жены?

— Нет, зачем же. Я купил квартиру. Я, мама, теперь известный писатель...

— Да знаю, знаю. Слежу.

— Неужто читаешь?

— Кое-что читала, но не все, в Марокко русских книг почти не достать, если только кто-то привезет, да еще у нас в Рабате есть русский культурный центр, а там недурная библиотека, но с новинками плохо... Может, ты мог бы послать туда какие-то свои книги?

— А почему бы и нет? Пошлю.

— Скажи, а кто твоя нынешняя жена?

— Марина актриса.

— Помнится, у тебя уже была актриса, но ту звали Светлана, кажется?

— Все течет, все изменяется, — усмехнулся он, — вот только ты, мамочка, все та же. Не собираешься уходить от своего марокканца?

— Знаешь, если бы я встретила своего Франсуа в молодости, я бы прожила с ним всю жизнь... По крайней мере мне так кажется.

— Вот даже как! С ума сойти!

— Скажи, а с Лерой ты встречаешься?

— Нет.

— Но как же Катюшка?

— Она сама от меня отказалась.

— Отказалась? Вот так, ни с того ни с сего?

— Ну, не совсем... Но... Когда мы с Лерой расстались, она резко взяла сторону матери. Что я мог поделать?

— Скажи, а почему вы расстались? Мне казалось, вы любили друг друга?

— Понимаешь, мама, писателю нужен какой-то покой, свое личное пространство, но Лера не желала с этим считаться. Так вот и получилось...

— Но как Лера могла этого не понимать. Она тоже пишущий человек...

— Ох, мама, между писателем и пишущим человеком дистанция огромного размера.

Он мне не нравится, вдруг произнесла про себя Елена Павловна и у нее заболело сердце.

В лифте опять пахло упоительным мужским парфюмом. Хотелось бы взглянуть на носителя этого волшебного аромата. А это мог бы быть неплохой сюжетный ход... Правда, в кино он не годится, а в сериалах тем более. Да ну, наверняка это какой-нибудь шпендрик решил корчить из себя шикарного мужика. Со шпендриками такое нередко бывает, особенно если у них много денег. Кстати, Димке подошел бы такой запах. Стоило мне о нем вспомнить в этой связи, как я почти возненавидела этот парфюм. Вот и славно, спокойнее будет.

Детей дома не было. Но я знала, что Гришка на английском, а Катька в бассейне.

На столе стоял роскошный букет белых хризантем. Боже, откуда? Возле вазы лежала записка: «Мамуль, цветы от хозяина Денди с превеликой благодарностью».

Ишь ты, воспитанный, значит. Люблю цветы. Давненько мне цветов не дарили. А Димка и вовсе никогда. Не понимал... Вот только когда родилась Катька, да и то под давлением Елены Павловны. И что это я сегодня все его вспоминаю? И тут позвонила Елена Павловна.

— Лерочка, милая, как ты?

— Да ничего, все в порядке. А вы?

— Я — нет.

— Что случилось?

— Я вчера была у Димы.

— И что? — испугалась я.

— Можно я сейчас приеду?

— Ну конечно!

— А дети дома?

— Пока нет, но скоро вернутся. А что? Они могут помешать?

— Помешать? Мне? Да господь с тобой. Мне никогда дети не мешают. Я буду минут через сорок. Не нужно ничего купить?

— Нет-нет, приезжайте скорее.

Она очень взволнована, неужто Димка обхамил ее? Он может... Тьфу, опять он...

Елена Павловна действительно выглядела очень взволнованной. Она заключила меня в объятия, расцеловала. На глазах выступили слезы.

— Елена Павловна, миленькая, что стряслось?

— Погоди... — Она вынула из сумки большую красивую банку. — Вот... Это кофе. Я не могу в Москве пить кофе после Марокко. Ты попробуй, сразу поймешь...

— А что я буду делать потом, когда этот кончится? Пить чай? — улыбнулась я.

— Я буду тебе присылать... — вдруг всхлипнула она.

— Елена Павловна, дорогая, что случилось?

— Понимаешь, вроде бы ничего. Но... Он какой-то совсем чужой... и даже неприятный человек. Я сама себе ужасаюсь, ведь это мой сын, единственный сын, моя кровиночка... А мне так с ним тяжело, как никогда раньше. У нас всегда были сложные отношения, но сейчас... И эта девочка, его жена... Такая красивая, милая, но, мне показалось, вконец несчастная.

— Почему?

— Глаза у нее несчастные какие-то.

— Но зачем же она с ним живет, если такая несчастная? Детей у них, кажется, нет и...

— Может, любит его?

— Ох, Елена Павловна...

— Я знаю, ты сейчас скажешь — мне бы ваши заботы, и будешь права.

В этот момент явился Гришка. При виде Елены Павловны он просиял.

— Ой, здрасьте! Как вы поживаете?

— Гриша, называй меня на «ты». И зови бабушкой.

— Ура! У меня есть бабушка! — завопил Гришка и бросился к Елене Павловне.

У нее слезы катились по щекам.

— Родненький мой, конечно, у тебя есть бабушка!

Я сама чуть не разревелась при виде этой душещипательной сцены. Тут позвонила Катька.

— Мам, за мной зашел Шурик, можно мы часок погуляем?

— Можно, но занеси хоть мокрый купальник, зачем с ним таскаться?

— Все равно мою сумку Шурик носит.

— А Шурика не жалко?

— Да ни капельки! — засмеялась она. — Он же дзюдо занимается.

— Кать, вы там не очень долго, а то у нас бабушка. Кстати, можешь привести Шурика к нам.

— Там видно будет.

Ох, и характер у моей дочки! Не мне чета.

Но через полчаса она заявилась вместе с Шуриком, очень славным парнишкой четырнадцати

лет, с которым Катюха дружила уже целый год.
Мы сидели все на кухне, пили чай с каким-то
удивительно вкусным кексом, который принесла
Елена Павловна, и я видела, что она оттаяла.
Было так хорошо, уютно... И вдруг зазвонил те-
лефон. Я почему-то испугалась.

— Я слушаю!

— Лер, это ты? — спросил мужской голос,
смутно знакомый, но кто это, я сразу вспомнить
не могла.

— Простите, с кем я говорю?

— Ну ты засранка, старых друзей не узнаешь?

— Витька? Ты?

— Я, подруга, я!

— Господи, сколько лет, сколько зим, ты где,
что, как?

— Все расскажу при встрече! Подруга, срочно нужна твоя помощь! Только ты сможешь спасти ситуацию! Я готов упасть перед тобой на колени, а если надо то и ниц!

— Да в чем дело?

Это был мой однокурсник по ВГИКу.

— Старуха, спасай!

— Вить, говори толком, что надо!

— И ты спасешь?

— Да от чего, дурья башка? — рассердилась я.

— Позарез нужен талантливый сценарист!

— Тебе? А ты сам?

— Так я уже утратил квалификацию, я ж теперь в режиссуру подался, к тому же это женская бодяга, я не справлюсь! Понимаешь, у меня в сериале целая куча проблем внезапно образовалась, надо срочно многое в сценарии поменять, а лучше тебя этого никто не сделает. Всего на недельку сможешь в Киев приехать?

— Так ты теперь в Киеве?

— Ну да, женился, понимаешь ли, на киевлянке, вот и зацепился тут. Мы сериалы погонными метрами клепаем. Лер, спасай! Я слежу за тем, что ты делаешь... Ты молодчина...

— Вить, как я могу? У меня двое детей! Куда я поеду? А по мылу нельзя?

— Ну хоть на два дня приезжай, умоляю, посмотришь на артистов моих, сообразишь, что к чему, я не могу по мылу все объяснить. Я вообще человек несовременный, меня эти гадские гаджеты дико раздражают! Леруня, а когда ты со вторым-то ребеночком успела? Неужто тебе не с кем детей оставить? А то бери их с собой! Пусть Киев посмотрят, красивый же город!

Меня кто-то дернул за рукав. Елена Павловна.

— Лера, если надо остаться с детьми, я останусь. Даже не сомневайся. Езжай куда зовут, проветрись маленько!

Мне вдруг безумно захотелось в Киев, к Витьке, с которым мы дружили, да и лестно, когда к тебе обращаются за спасением ситуации.

И я пообещала завтра же вылететь в Киев.

— Лерка, я всегда знал, что ты человек! Только я сам не смогу тебя встретить, но кого-нибудь обязательно пришлю с табличкой «Леруня»!

Табличку «Леруня» держал такой красивый мужик, что я ахнула. Высокий, широкоплечий, брюнет с черными глазами. Начало многообещающее, подумала я. Где-то я его видела... Он, кажется, актер. И тут же мне стало смешно. Витька не случайно отрядил такого красавца меня встречать. И наверняка еще велел ему меня «окучивать».

— Здрасьте! Вы меня встречаете. Я Лера.

— О! Душевно рад!

Он отобрал у меня сумку.

— Позвольте представиться. Никита Александров.

— А я вас узнала. Вы же снимались у нас в «Фамильном браслете».

— Точно! — расплылся он. — Жаль только роль у меня там небольшая была.

— А у Гаранина вы тоже злодея играете?

— Боже мой, Лера! У нас ведь как? Сыграл злодея, так и дальше будешь... А может, вы что-то придумаете, какой-нибудь перевертыш, а? Мой персонаж вдруг окажется самым благородным, — засмеялся он.

— Я пока ничего сказать не могу, я же ничего о вашем сериале не знаю. А кстати, что у вас там за ситуация, может, введете в курс дела?

— О, у нас все валится. Главная героиня тяжело заболела, в ближайшие три месяца сниматься не сможет, два сценариста вообще отказались, у одного из главных персонажей жуткий запой и еще куча всяких неприятностей. Нас вообще хотели закрыть, но Виктор сказал, что у него есть такой сценарист, который сумеет спасти ситуацию. И вот вы тут! Вся надежда на вас.

— А вы уже выходите в эфир?

— В том-то и дело! Выходим и с приличными рейтингами, пока, правда, только в Украине, но вы же знаете, как это делается.

— Ничего себе задачка... Кстати, а почему сценаристы отказались?

— Не могли найти общего языка.

— С кем?

— Со всеми. И с Витей, и с продюсерами, и друг с другом тоже.

Мы подошли к машине, явно студийной. За рулем ждал толстый дядька с запорожскими усами.

— О, еще дамочку на убой привезли! — хмыкнул он. — Здоровеньки булы, дама!

— Здоровеньки булы, пан водитель! И почему меня на убой привезли? — полюбопытствовала я.

— Ну где такой нэвэличке разгрести таку кучу дерьма?

— Фомич, ты чего девушку пугаешь? Не обращайте на него внимания, Леруня!

— Ох, Леруня, вы лучше на этого гарного хлопца внимания не обращайте, а то он у нас тут гроза всех дивчин.

— Фомич, язычок-то прикуси! — засмеялся Никита.

— Да ладно, дамочка и сама разберется, чай не с гимназии... Тридцатник-то уже есть?

— Фомич!

— Ну что Фомич? Фомич всегда правду-матку говорит.

— Женщинам такую правду...

— Ладно, поучи меня еще с бабами обращаться. Их сразу на место надо ставить! А то небось вообразит, что ее за малолетку примут... А у меня глаз-алмаз! Я вот помню одной такой зирке заявил: ты чего, мать, все молодишься, все ж всё равно знают, сколько тебе годочков. И морщинки в твоем возрасте обязательно должны быть, а коли их у тебя нету, значит, ты не живая баба, а кукла крашеная и смотреть на тебя неинтересно. Скажете, я не прав? И этой бедолажке уж точно тридцатник стукнуло, причем не вчера, а года два-три назад. И детишки у нее небось дома плачут, а она сюда к нам прискакала, ситуацию спасть. Это что ж такое делается, если, можно сказать, пигалицу вызывают, как МЧС? Я вас спрашиваю?

Никита только руками разводил, тщетно пытаясь заткнуть чересчур болтливого водителя.

— Скажите, а вы ведь не украинец? — перебила я поток красноречия.

— Это почему ж?

— Ну, слышу я, как вы говорите... Вы только вставляете какие-то словечки, да и то редко, и интонация у вас не украинская, вы небось в Украине лет пять живете, не больше?

— Ну и что с того?

— Да ничего. Просто правду-матку режу.

— Нет, Никитос, видал бабу! — расхохотался вдруг Фомич. — Такая может и спасет вашу шарагу...

Он заткнулся и до конца пути не произнес ни слова.

Никита показал мне большой палец.

Меня привезли в маленькую частную гостиницу недалеко от Крещатика. Номер был небольшой, но очень уютный, со всеми удобствами и даже с мини-баром. Никита ждал меня в машине. Я позвонила домой, там было все в порядке, и побежала вниз.

— Поехали!

Всю дорогу до студии Фомич молчал.

— Леруня, солнце мое, наконец-то! — заключил меня в объятия старый друг.

— Витька, ты чего так растолстел? На варениках и галушках?

— Да где там! Я их и не вижу. Это все от нервов. И времени вообще нет. Мечтаю уехать куда-нибудь на далекие острова... Лучше на необитаемые... Интересно, есть еще необитаемые острова?

— Есть!

— А ты почем знаешь?

— А у меня одна подруга в кругосветки ходит.

— Подруга? Познакомь!

— Зачем?

— Пусть наводку даст, на необитаемый остров. Ладно, как живешь-то? Мне тут Димкино интервью показывали, вот гад!

— Черт с ним, давай ближе к делу!

— Я освобожусь через часок. Никита, своди девушку перекусить, а я подвалю, как освобожусь, годится?

— Конечно. Пойдемте, Лерочка!

Никита нежно взял меня под руку. Но его чары на меня как-то не действовали. Хотя он мне нравился. Красивый и не противный. Уже что-то.

Мы сидели в студийном буфете, красавец Никита Александров старательно исполнял наказ режиссера и «окучивал» сценаристку. Но ничего личного за этим окучиванием не просматривалось. А артист он был так себе. Я про себя посмеивалась. Он меня совершенно не волновал. Интересно, а я еще способна взволноваться? У меня этого так давно не было... Неужели я никогда больше не сумею влюбиться?

— Никита, можешь быть свободен! — раздался голос Витьки. Он плюхнулся за столик. — Ну, Леруня, спасай!

Никита ушел.

— Скажи, какой красавец! И при этом хороший парень.

— Ты поручил ему меня окучивать?

— Леруня, ты же все понимаешь! И потом, я подумал... Он хороший парень, ты классная баба, а вдруг что и сладится?

— Я тебя умоляю! Давай, говори, что от меня нужно?

Он долго рассказывал мне обо всех несчастьях, которые буквально обрушились на этот проект.

— Лер, что делать?

— Для начала дай мне сценарий, я ж не могу с налету и с твоих слов. Прочитаю, или хотя бы просмотрю, и, может быть, что-то придумаю.

— У тебя комп с собой? Тебе как лучше, электронную версию или бумажную?

— Лучше бумажную. Да, кстати, это лицензионка или...

— Нет. Слава богу!

— Это правда, слава богу! За лицензионку я бы и не взялась.

— Ладно, я сейчас распоряжусь. — Он вытащил телефон. — Марьян, принеси в буфет бум. версию!

— Бум. версию? — рассмеялась я.

— Ага, это Марьяшка, моя ассистентка, говорит бум. и эл.

Буквально через пять минут примчалась смешная заполошная девица в бейсболке, плюхнула на стол две амбарные книги, явно очень тяжелые.

— Вот! Здрасьте! Это вы нас спасать будете?

— Постараюсь!

— Вы знаете, вы правда постарайтесь, а то жалко... Столько трудов и все хряку на прокорм!

И она унеслась.

— Вот что, Витечка, я сейчас забираю эти талмуды и еду в гостиницу. Мне нужно время, думаю, послезавтра я тебе все скажу!

— Лерка, солнце мое!

— Меня кто-нибудь отвезет?

— Сам отвезу. Поехали!

Он взял оба тома.

— Блин, тяжесть-то какая! Просто неподъемная.

В машине я спросила его:

— Вить, а чего ты за режиссуру-то взялся?

— Да понимаешь... Я ведь еще окончил Высшие режиссерские... А тут сразу предложили один сериальчик, небольшой, десять серий. Получилось удачно. Предложили еще... Ну и засосало. Да и нравится мне... А ты почему сериалами занялась? Помню, у Фридрихыча ты любимицей была, он тебе большое будущее прочил...

— Да не получилось. Написала несколько сценариев, ни один не пошел, а тут позвали в команду сериалы клепать. Деньги позарез были нужны, ну я и согласилась. Обещали недавно сделать ведущим сценаристом на следующее мыло... Теперь вот в качестве спасателя в Киев пригласили, так что считай, карьеру делаю.

— А Димка что, денег не дает?

— Давал крохи, но я отказалась... Вернее, Катюха после этого интервью.

— Да? Ну, молодец девка! Постой, а второй-то ребеночек от кого?

— Да это не мой. Это сын Инки.

— А Инка что ж?

— Они с мужем погибли.

— Ох, прости, не знал... Вот ужас-то! Ох, беда! Вы ж такие хорошие сестры были... дружные...

— Да. Она мне как мать была... Ну и я не могла бросить ее сына.

— Ясное дело. Постой, а Димка что, из-за этого слинял?

— Представь себе.

— Легко! Он мне всегда казался гадом. Никогда не мог понять, что ты в нем нашла. Он мне, кстати, недавно тоже свинью подложил.

— Тебе? Каким образом?

— Да я на главную роль наметил Маринку Худолееву, классная девка, а она возьми и откажись. Замуж, видите ли, выхожу за Лощилина! А он не хочет, чтобы я в мыле снималась. Лев Толстой, мать его! Скажи, а ты можешь его читать?

— Я — нет!

— Я тоже. А вот и твой гранд-отель! Как тут, все нормально?

— Да хорошо.

— Все необходимое есть?

— Даже более того, — рассмеялась я. — В мини-баре презервативы есть, первый раз такое вижу. Забота о постояльцах на высоте.

— Хорошее дело, между прочим. А то мало ли какая ситуация, — расхохотался Витя. Он поднял на третий этаж тяжеленную «бум. версию». — Спасибо тебе, подруга.

— Пока не за что.

— За готовность помочь хотя бы. Ладно, поеду, а то уже не помню, как жена выглядит. А ты читай! И звони, если что непонятно будет. И вообще... — Он устало махнул рукой и побежал вниз.

Я взялась за сценарий. Что ж, сериал как сериал. Со всеми онёрами, как говорится. Тут тебе и амнезия, и тюрьма, и психушка, и чужие дети.

Кое-где проглядывала жизнь, но в основном обычная бодяга... Читать все насквозь не имело смысла и так все ясно, кто плохой, кто хороший... Но что же делать в сложившихся весьма неблагоприятных обстоятельствах? Господи, как же мне все это надоело! Я так хотела в «Фамильном браслете» избежать хотя бы тюрьмы и амнезии, так нет, не вышло! Удалось только обойтись без психушки, но это пока... Ох, не умеем мы делать безразмерное кино. Где нам угнаться за Бразилией! Вот они мастера! Все остальное латиноамериканское мыло я и в грош не ставлю, а вот бразильское! Какие артисты там снимаются, какие красавцы и красавицы, сколько всегда юмора... Вот, помню, я смотрела один сериал с огромным увлечением, и вдруг на середине сюжета все поменялось с точностью до наоборот, как говорится. Положительная и несчастная героиня оказалась жуткой злодейкой, а та, которую все считали просто исчадьем ада, оказалась невинной жертвой истинной злодейки! Это было так здорово... Стоп, а что если и тут то же самое сделать? Я схватила блокнот и начала с карандашом в руках прикидывать, что можно сделать в этом направлении. Учитывая длительное отсутствие главной героини по болезни... Значит, вот этого героя мы убираем... О, это как раз то, о чем просил Никита! Так, женские линии мы оставим без изменений, а вот у мужчин все поменяем. Никитин злодей окажется благородным героем, а благородный герой Андрея Платова тем еще мерзавцем...

Я просидела до часу ночи. Есть хотелось ужасно. Но идти куда-то уже невозможно. В минибаре, кроме презервативов, были еще чипсы, орешки и шоколад. Очень даже неплохо! Я напихалась всей этой дрянью и, безмерно довольная, завалилась спать. Хотя, конечно, моя идея может в корне не понравиться продюсерам. Ну, что ж, как говорится, чем богаты... Уснула я мгновенно.

Утром я на свежую голову проверила вчерашние наброски и идея перевертыша понравилась мне еще больше. Сейчас пойду позавтракаю, потом прошвырнусь по ближайшим магазинчикам, или нет, лучше смотаюсь на Бессарабку, где когда-то в детстве мы с мамой и Инкой покупали всякую украинскую снедь. А потом позвоню Витьке.

В маленьком помещении на первом этаже было уютно и очень вкусно пахло свежими булочками. Могу себе позволить в кои-то веки выпить кофе с булочками. Но кроме булочек тут были еще и вареники с черникой... Конечно, черника наверняка мороженая, но на варениках это не должно сильно отразиться. Была еще и аппетитная колбаса и сыр... и какие-то каши... словом, от голода тут не помрешь. А есть хотелось страшно. Идею булочек я отбросила, в конце концов вкусные булочки можно, если припрет, съесть и в Москве, а вот вареники с черникой... Я навалила себе в миску этих вареников, полила сметаной...

— Дама, советую взять еще к этому черничного киселька, — сказала толстая тетка в белой поварской куртке и в белом платке.

— Серьезно? Да, это должно быть смертельно вкусно, спасибо! А кофе у вас крепкий?

— Возьмите лучше чай.

— Спасибо, я вас поняла!

Вареники были фантастические! А кисель... Мечта! Я наслаждалась. Мне давно не было так хорошо... И вдруг я почувствовала на себе чей-то взгляд. За столиком напротив сидел молодой мужчина, показавшийся мне смутно знакомым. Актер что ли? У него была густая каштановая шевелюра, легкая небритость, переходящая в небольшую бородку, веселые глаза и чуть припухлая нижняя губа. Все вместе излучало странное обаяние. Он улыбался мне. И даже помахал рукой, словно здороваясь. Я кивнула ему. Он тут же вскочил и подошел ко мне.

— Здрасьте, Валерия! Вот не ожидал!

— А мы знакомы? — удивилась я.

— Вообще-то да! Вы меня не узнаете?

— Простите, нет.

— Это зачуток обидно. Я Игнат, вы недавно нашли собаку моей мамы и мне ее отдали.

— Ох, простите, у вас было не очень светло и я...

— Да ладно! Вы позволите к вам подсесть?

— Конечно, садитесь!

— Вы с таким упоением что-то уплетали... Смотреть приятно.

— Тут сказочные вареники с черникой.

— Это стоит попробовать?

— На мой взгляд обязательно нужно попробовать. Со сметаной и киселем.

— Пожалуй, прислушаюсь к вашему мнению.

Он вскочил.

— Игнат, принесите и мне немножко киселльку.

— Всенепременно!

Он мне ужасно понравился.

— Игнат, — сказала я, когда он вернулся. — Это вы принесли мне такие роскошные хризантемы?

— Принес я, но идея была мамина. У вас ужасно славный сынишка.

— У меня еще и дочка есть, — решила я сразу расставить все по своим местам.

— Вы совсем не похожи на мать семейства. И, кстати, что вы тут делаете? У вас командировка?

— Да, что-то в этом роде. У вас, как я понимаю, тоже?

— Нет. Я приехал на свадьбу старого друга.

— Понятно.

— Свадьба завтра, а сегодня я собирался погулять по Киеву. А вы, Валерия, очень заняты?

— Боюсь, что да.

— Но к вечеру-то освободитесь?

— А что?

— Хотел пригласить вас поужинать в каком-нибудь хорошем ресторане, раз уж мы опять оказались соседями.

— Я бы с удовольствием, Игнат, но я просто не знаю, как сложится день.

— Простите, а вы кто по профессии?

— Сценаристка.

— Блин! — расхохотался он.

— А что тут смешного?

— Киношница! И я киношник! Я оператор, Игнат Рахманный, может, слыхали?

— Извините... Я к большому кино, увы, отношения не имею. Я пишу сценарии к мыльным операм.

— Ну и что? Тоже дело хорошее. Наши гении презрительно кривят губы, а я гляжу, скольким людям сериалы дают работу... Вот у мамы есть подруга, еще со школы, хорошая артистка, но ее никто раньше не знал, а снялась в двух сериалах, кстати, с моей подачи, и теперь снимается все время, и деньги какие-то зарабатывает и, практически, славу. Ее теперь нередко приглашают во всякие телепрограммы, она счастлива на старости лет.

— А вы хороший человек, Игнат Рахманный.

— Вы знаете, что значит «Рахманный»?

— Честно признаюсь, нет.

— Ну, если верить Далю, то в разных областях России это толкуют по-разному, но мне отец объяснял, что это значит — веселый, радостный, непринужденный.

— И вы, похоже, оправдываете свою фамилию?

— Ну, я стараюсь... Но вообще-то я тоже разный. Вот вы мне нравитесь, и с вами я такой... да. Ну так что? Поужинаем вместе?

— Я с удовольствием, Игнат, вы мне тоже нравитесь, но ей-богу, я не знаю.

У меня в сумке зазвонил телефон. Витька.

— Алло, подруга, ну, есть уже впечатление?

— Более того, есть одна конструктивная идея,
но я не уверена, что вы на это пойдете...

— Леруня!

— Погоди, Витя, я...

— Я сейчас заеду за тобой, минут через двадцать буду. Ты позавтракала?

— Я в процессе.

— Ладно, жди!

— Витя, скажи, а вечером я буду свободна?

— А в чем дело? Уже кого-то захороводила?

— Ты мне отвечаешь вопросом на вопрос.

— Ну, если очень надо...

— Очень.

— Кавалер рядом, что ли?

— Угу.

— Ну, ты даешь! Или уже дала?

— С ума сошел!

— Ладно, до встречи, подруга. Это твое личное дело.

И он отключился.

— Так что насчет вечера? — весело сверкая
глазами, осведомился Игнат.

— Может, и выгорит.

— Вот и отлично! Лера, а как вы думаете, если
я в вареники зачуток сахарку подсыплю, это не
будет кощунством?

— Точно не будет!

— И вправду, какая вкуснятина, никогда бы не подумал. Лера, позвоните мне, тогда у меня останется ваш телефон.

— Запросто.

Мы обменялись телефонами.

— Обещаю, как только у меня что-то прояснится, я вам сообщу.

— Лера, я ужасно рад, что мы встретились... Вы мне еще тогда глянулись, когда этого олуха Денди приволокли.

— А он олух?

— А кто же еще? Охотничья собака, которая живет в городской квартире в качестве болонки... Я говорил маме, но она уперлась, хочу сеттера. Ну, желание мамы закон. Только я-то живу отдельно, этот болван вечно удирает, а мама вся в страданиях. Женская логика!

Он говорил с какой-то прелестной иронией, отчего все приобретало обаятельную легкость.

— Игнат, ответьте мне на один вопрос.

— Я готов.

— Мне говорила одна женщина, жена известного оператора, что среди кинооператоров нет голубых, это правда?

Он почесал в затылке.

— Честно говоря, никогда об этом не задумывался. Но, кажется, это так... Действительно, что-то не припомню... Как интересно... Надо будет обсудить это с коллегами, — рассмеялся он. — А вы кофе не пьете?

— Мне здешняя повариха посоветовала пить чай.

— Да? Значит, кофе тут говно. Ладно, зайду в какую-нибудь кофейню, я без кофе не могу.

Ему тоже кто-то позвонил. Но тут явился Виктор.

— Игнат? — ахнул он.

— Боже, какие люди!

Они обнялись.

— Леруня, ты в курсе, что Игнат великий оператор? Урусевский наших дней!

— Не преувеличивай, Витек! Я просто хороший оператор. Лера, не верьте ему! Он ведь ждет, что я в ответ скажу, будто он гениальный режиссер, но не дождется!

— Засранец ты, Игнаша! — добродушно рассмеялся Витька. — Хоть бы при девушке постеснялся говорить гадости в мой адрес.

— Но Лера ведь не твоя девушка? Или я не прав? — вдруг насторожился Игнат.

— К сожалению прав! Но она моя старая подружка и примчалась в Киев на мой зов спасать ситуацию...

— Отзывчивая, значит?

— Да вообще золотая!

— Алло, ребята, я ведь тут...

— Я так понимаю расклад — Леруня, этот тип тебя на вечер ангажировал?

— Правильно понимаешь, — кивнул Игнат.

— Так и быть, постараюсь отпустить ее, но смотри, если обидишь мою подружку, будешь иметь дело со мной!

— Я никогда девушек не обижаю! Я их люблю!

— Все, Леруня, хорош питаться, поехали!

— Лера, я жду вашего звонка! А не дождусь, сам буду звонить, я настойчивый!

— Договорились!

— Лер, ты что, только сейчас с ним познакомилась?

— Нет, что ты! Он сын моей соседки.

— У вас что-то есть?

— Пока нет. Просто я ему нравлюсь, он мне даже преподнес как-то букет цветов... — напустила я тень на плетень.

— Смотри, подруга, он жуткий бабник.

— Ну и что? Он очаровательный, замуж я не мылюсь, так почему бы и нет?

— А почему это ты замуж не мылишься?

— А кому я с двумя детьми нужна?

— Мне не нравится такая постановка вопроса.

— Помнишь, наш Евгений Фридрихович говорил про кого-то — у него жестокий дар констатации. Вот и у меня этот дар прорезался, а вообще, давай-ка поговорим о нашем, о девичьем. Я вот что придумала...

Я изложила ему свою идею перевертыша.

— Ты спятила? Нас не поймут!

— Кто?

— Да никто не поймет. Ни продюсеры, ни зрители!

— Да что ты про зрителей знаешь?

— А ты?

— Я сама зритель, а у продюсеров представление о зрителях, как о быдле. А если так подходить, то, собственно, почему бы этому быдлу не схавать с восторгом наш перевертыш, тем более что Александров красавец, сексуальный и фактурный, а этот ваш Платов какой-то квелый, впрочем, его даже винить нельзя, роль уж больно тоскливая. Думаю, в роли злодея он будет лучше смотреться.

— А ты откуда Платова-то знаешь?

— А я вчера по телеку одну вашу серию видела. И все думала, вот вроде бы и недурен собой, а весь какой-то клеклый, но потом скумекала, что роль такая... клеклая... Неужто сам не видишь, режиссер?

— Лерка, солнце мое, а ведь ты права, ролишка клеклая... Черт побери, ты умная девка! А вдруг и впрямь получится?

— Должно получиться! Пойми, при таком раскладе и обе женские роли зазвучат по-другому, все встанет с ног на голову, а на самом деле, с головы на ноги! Артистам станет интереснее, они будут лучше играть!

— А, по-твоему, они плохо играют?

— Да нет, но чувствуется, что им скучновато.

— Лер, ты, может, самая умная из всех знакомых мне баб. По крайней мере, самая креативная и конструктивно мыслящая в нашем деле. Вот только, боюсь, наш генеральный не поймет. Хотя если запустить к нему тебя... Он любит таких хрупких девушек...

— А он не скажет, что это происки москалей?

— А он и сам из москалей!

...На переговоры ушло много часов. Поначалу все встречали идею в штыки, но, немного поразмыслив, приходили к выводу, что лучше ничего не придумаешь, а генеральный сразу сказал:

— Супер! Это суперидея! Молодец, девушка! Пойдешь к нам сценаристом? Главным?

— Да нет, не потяну. И потом...

— А мы платить будем лучше, чем у вас на канале. И пока ничего не будем афишировать. Тебе очень важно в титрах висеть?

— Да нет... хотя жалко, если мою идею присвоит кто-то другой.

— Пойми, чудачка, у нас сейчас со сценаристами зарез, не потянут они... Неужто не сможешь совмещать, а? Ты пойми, всех делов-то у нас на шестьдесят серий, больше не нужно, в целом сто двадцать выйдет. Ну работы тебе на пару месяцев. И только ведь по главным линиям. Побочные оставляем как есть. Ей-богу, Валерия, берись! Мы тебе сразу большой аванс дадим и вообще... При современных средствах коммуникации тебе даже не надо торчать в Киеве. Соглашайся! Иногда надо работать сверх сил, это потом приносит неплохие плоды! И мы все-таки напишем в титрах твое имя. В конце концов, ты обет целомудрия на своем канале вряд ли давала.

— Это точно!

— Виктор, все-таки не зря я с тобой связался. Когда человек сам не может, но знает, кого позвать на помощь, то такой работник — бесценный кадр, я так считаю! Потому что один работник все делать идеально не может... Короче, записываю тебя в свою красную книгу!

— Что это значит? — недоуменно осведомилась я.

— А у меня вот есть такая книжица, кстати, в красном переплете, куда я записываю имена таких вот людей, которые в нужный момент не разводят руками и не хнычут, а знают, к кому когда обратиться. Потому что я хочу создать такую идеальную команду...

— Странно.

— Ничего не странно! Ты скажешь, а не лучше ли собрать команду гениев? Так гении они, как правило, все обосранцы...

— Это что значит?

— Ну, обсирают они друг дружку как правило. И перегрызутся. А такие вот «красные» кадры и сами работать могут и...

— Иными словами, вы хотите собрать команду из кризисных менеджеров? Неконструктивно!

— Почему, скажи на милость?

— А кризис-менеджеры в коллективе ничего производить не смогут.

Он озадаченно почесал в затылке.

— Ну вот что, золотая моя... Виктор, забирай свою подружку, она чересчур умная, рассуждает много, это лишнее... Пусть пишет сценарий, а советы мне давать по поводу менеджмента еще у нее нос не дорос!

— То есть, я уже уволена?

— И не мечтай! Занимайся своим делом, но мозги мне засирать не надо! Прощевайте, пани!

— Лер, ну кто тебя за язык тянул? — огорченно покачал головой Витька.

— Да что я такого сказала? Просто высказала свою точку зрения.

— Не в том месте и не в то время.

— Да пошел он... Конечно, я дура, расслабилась от радости, что мою идею приняли. Хотя постой, все-таки приняли или не приняли?

— Да приняли, приняли. Просто аудиенция затянулась.

— А он заплатит?

— Заплатит, сто пудов!

— Тогда ладно.

— А на что бабки потратишь?

— Не смеши! У меня двое детей, которым все время что-то нужно. А вообще, давно хочу машину поменять, моя уже на ладан дышит.

— Дело хорошее. Леруня, я жрать хочу, умираю. Пошли, потрясающим борщом накормлю.

— Пошли, у меня тоже все калории сгорели от этих переговоров. Как я это ненавижу, если б ты знал... Я так еще только в музеях устаю, до полного изнеможения. А где потрясающий борщ дают? Далеко?

— Да нет, отсюда пять минут пехом. Дойдешь?

— Не вопрос.

Действительно на соседней улице находился ресторанчик, отделанный в украинском стиле, очень уютный и симпатичный. И борщ с уткой оказался выше всяких похвал.

— Леруня, а ты умеешь борщ варить?

— Умею, но у меня дети почему-то его не любят. Предпочитают щи.

— У, москалята! — рассмеялся Витька. — Леруня, если серьезно, я даже не знаю, как тебя благодарить. Сразу откликнулась и реально помогла. Это по нашим временам довольно редко случается...

— Да ерунда! Это если телевизор все время смотреть, кажется, что жизнь ужасна, а в реальности вокруг много добрых, хороших, отзывчивых людей.

— Но гадов все же больше...

— Не соглашусь. Просто это как в кино — положительные герои скучноваты, о них и говорить нечего...

— А ты откуда такая умная?

— Из ВГИКа, сам знаешь.

— Недаром тебя наш мэтр обожал! И почему я на тебе не женился?

— С ума сошел? Мы друзья. И я свято верю в то, что мужчина может дружить с женщиной.

— Ладно, развыступалась! У тебя телефон звонит, оглохла, что ли?

Я выхватила из сумки телефон.

— Алло, Лера! Это Игнат! Ну как мои шансы?

— Все хорошо, Игнат. Думаю, часам к семи-восьми буду готова.

— Где встречаемся?

— Хорошо бы в гостинице, мне надо будет заехать переодеться, освежиться...

— Отлично! В восемь жду в холле. Привет Виктору!

— Тебе привет от Игната.

— Ишь как зарделась... Надо же...

— Вить, а ты хорошо его знаешь?

— Более или менее. Мы вместе работали на одной картине. Точнее, он снимал картину по моему сценарию. А что, так понравился?

— Ну, не то чтобы ах, но... в общем понравился. Расскажи, что знаешь, чтобы не попасть ненароком в неловкую ситуацию.

— Ох, подруга, у меня сведения не очень свежие.

— Не беда.

— Ну что тебе интересно? Он был женат на невероятно красивой бабе, модели. Любил ее крепко... А она...

— Что?

— Спуталась с богатым иностранцем и умотала в Европу, предварительно сделав аборт от Игната.

— Вон даже как... Он очень страдал?

— Было дело. Пил здорово... Но потом взял себя в руки. По бабам пошел. Ну, известное дело. Артистки... Сама понимаешь, хорошему оператору лучше дать, чтоб снимал как следует...

— Вить, ну он же просто очень обаятельный парень...

— И это тоже, словом, отбою от баб у него нет. Так что не советую... А то разобьет бедное сердечко моей подружке.

— Да не разобьет. Оно уже закалилось. Один раз было разбито вдребезги, а склеенная посуда два века живет, сам знаешь...

— Лер, ты что, так в него втюрилась? — испуганным шепотом спросил Витька.

— Нет, просто впервые за несколько лет мне кто-то здорово понравился. Только, Вить, это сугубо между нами!

— Ты, видать, и впрямь сдурела, подруга! Я тебя когда-нибудь сдавал?

— Нет пока. Я хорошо помню, как ты меня отмазал перед Фридрихычем, когда я с Димкой загуляла.

— Может, это я тогда зря сделал, как показывает доигрывание, а?

— Нет, не зря... — грустно сказала я. — Я тогда была влюблена без памяти...

— И с тех пор больше не влюблялась?

— Практически нет. Так, легкие увлечения, которых хватало на неделю, от силы.

— Будем надеяться, что с Игнашей ты тоже за неделю разберешься.

— Скорее всего так и будет, — беспечно ответила я, ни на секунду не веря самой себе. Игнат волновал меня страшно. Даже самой удивительно. У меня внутри все пело. Но, может, это от того, что на студии приняли мою идею? Да нет, вот недавно приняли Катькину идею насчет близнеца, я радовалась, но внутри ничего не пело. Однако делиться такими подробностями со старым другом я не стала. Это касается только меня.

После обеда мы вернулись на студию, что-то еще обсуждали, я подписывала какие-то бумажки, с кем-то меня знакомили, но я уже мыслями была не здесь. А когда собралась уходить, меня отыскал Никита Александров.

— Валерия, неужто Бог услышал мои молитвы?

— Услышал, Никита, услышал! Будете теперь положительным героем, и, боюсь, это вам еще надоест!

Я примчалась в гостиницу в начале восьмого. Быстренько приняла душ, слегка подкрасила глаза и губы. И задумалась, что бы такое надеть. Я взяла с собой только самое необходимое, так что выбирать было почти не из чего. Впрочем, у меня и дома не слишком большой выбор. Права Елена Павловна, я совсем себя забросила. С собой даже ни одного платья, только джинсы и черный трикотажный комбинезончик. Вот его я и надела. На шею намотала сиреневый шелковый шарф, подаренный бывшей свекровью. Да ладно, не в том дело, он же знал, что не модель на свиданку зовет. Надо же, на свиданку... Как давно я не бегала на свидания. Странно, я совершенно не обратила внимания на мужчину, которому отдала собаку. Он показался мне каким-то вовсе не заслуживающим внимания. Жаль только, что он наверняка не пользуется тем волшебным одеколоном. Но ничего, если у нас что-то получится, я сама подарю ему этот одеколон. Идиотка, оборвала я сама себя. О чем ты думаешь? Не вздумай! Какие подарки? Он завзятый бабник, я ему глянулась так, на один вечерок... Ну, может, он рассчитывает еще и на ночь? Ну так фиг ему. Ни за что! Не на такую напал. Или именно на такую? Нет. Нет. Нет!!!

Но при виде Игната моя решимость как-то съежилась.

— О, Лера, точна, как королева! Привет! — и он чмокнул меня в щечку. — Как успехи?

— Недурно. А куда мы пойдем?

— Я сегодня шлялся по городу и набрел на одно славное местечко. Туда и двинем. Ты не очень устала?

— А что, это далеко?

— В том-то и дело, что нет. Но туда надо пешком.

— Не проблема.

— Тогда пошли.

На улице было холодновато. Он взял меня под руку. Идти с ним было приятно. Наши темпы совпадали.

— А с тобой хорошо идти, — сказал он. — Удобно.

— Я сейчас об этом же подумала.

— Тебе со мной тоже удобно?

— Ага.

— А расскажи, что сегодня было?

— Тебе интересно?

— Да.

Я рассказала.

— А ты молодчина, боевая. Вот мы и пришли.

В ресторане играла музыка. Я расстроилась, не люблю.

— Тебе тут не нравится? — догадался он.

— Шумно.

— Ну, не так уж... Просто я хотел с тобой потанцевать. Ты не любишь танцевать?

— Танцевать? Я уж и не помню, когда танцевала. Вообще-то люблю! — вдруг обрадовалась я.

— Вот видишь! И знаешь что... Ты теперь не будешь прятаться по углам.

— По каким углам?

— А ни по каким.

Мы подошли к заказанному столику. Он отодвинул мне стул. Сел сам и, подперев кулаком подбородок, уставился на меня. В его взгляде читалось удовольствие.

— Игнат, ты чего?

— У тебя очень интересное лицо, очень. Такое лицо интересно снимать... И целовать хочется...

В этот момент подошел официант и поставил на стол вазу с пятью коралловыми розами.

— Вот, как заказывали, — сказал он Игнату. И тут же принес меню.

— Спасибо, я тронута. Дивные розы.

— Я старался.

— Игнат, а ты всегда носишь бородку?

— Если тебе не нравится, могу побриться, это не принципиально.

— Да нет... Мне никогда не нравились бородатые и небритые, а тебе идет... Игнат, расскажи о себе.

— Что тебе рассказать, Лерочка?

— Что сочтешь нужным. Ты обо мне уже хоть что-то знаешь, а я о тебе ничего.

— Ну, если нужны анкетные данные... Мне тридцать пять, я в разводе и давно. Живу один, я довольно занудный в быту. Богемный стиль не люблю, сыт им по горло, бабник, пока... Работу свою бешено люблю. Но и полениться иногда тоже считаю необходимым. Никаких хобби у меня нет...

— А бабы?

Он усмехнулся.

— Это не хобби. Я, если хочешь знать, бабник скорее пассивный. Я женщин люблю и не могу им отказать... — он чуть смущенно улыбнулся. — Признаюсь честно, был у меня один период, я его называю период гона, но он прошел, я... Господи, что я несу! Ты прости меня бога ради, я сам не знаю, чего меня на откровенность потянуло. Это потому, что ты мне жутко нравишься.

— А ты...

Подошел официант, стал расставлять на столе заказанные блюда. Когда он отошел, Игнат внимательно на меня посмотрел.

— Ты хотела что-то спросить.

— Да, но... неважно.

— Ты хотела спросить, любил ли я кого-нибудь, да?

— Да. А как ты догадался?

— Не знаю, почувствовал. И отвечу честно. Любил, как сумасшедший. Не знаю даже, любовь это была или только страсть, это ведь понимаешь только со временем, а времени-то и не было. Она меня бросила. И не потому, что не любила, а потому, что подвернулся более выгодный вариант.

— А ты убежден, что это было так примитивно — более выгодный... может, ты просто оправдываешь себя, хочешь унизить ее в своих глазах, чтобы было легче, а?

— С ума сойти! С ума сойти!

— Что?

— Знаешь, ты первая, кто это сказал... Обычно все бабы начинали сочувственно кивать, смотреть на меня с жалостью, поддакивать, да, вот какие корыстные бабы бывают... А ты... Ты вдруг попыталась ее защитить... Фантастика! Откуда ты такая удивительная?

— Мне сегодня уже второй раз задают этот вопрос. Я из ВГИКа.

— Странно, я ведь не намного старше, а я тебя во ВГИКе не помню. Жаль.

— Чего жаль?

— А может, встреться мы во ВГИКе и вся наша жизнь, твоя и моя, сложилась бы по-другому...

— А зачем? Тогда не было бы у меня моей Катьки, а это такая девчонка... И не было бы у нас с тобой этого вечера, который мне так нравится. И, возможно, мы бы ненавидели друг друга, как я ненавижу сейчас своего бывшего мужа...

— Ты его ненавидишь?

— Наверное. Но это не счеты между нами, нет, просто он горько обидел нашу дочку. И она не пожелала носить его фамилию и просила меня отказаться от алиментов. Знаешь, ей двенадцать с половиной, а она умная, и даже помогает мне в работе. И относится ко мне чуточку свысока. Один раз я пришла домой и услыхала, как она говорит кому-то по телефону: «Ладно, когда моя овца придет, я спрошу». Это она обо мне.

— Овца? А ты овца? — рассмеялся Игнат.

— Ну, она, видимо, в тот момент так считала.

— А ты что? Смолчала?

— Я чуть со смеху не померла.

— А она на тебя похожа?

— Не очень.

— А сын совсем не похож.

— А это сын моей покойной сестры.

— И ты его усыновила? Так вот почему он сказал, что мамы Леры нет дома, я тогда еще удивился... А кто был твой муж?

— Дмитрий Лощилин, модный писатель.

— Я модных писателей не люблю. Так что не читал. Лер, а пойдем, потанцуем?

— Пошли!

Играли медленный танец. Он меня обнял, я уткнулась носом ему в грудь и мне стало так хорошо, уютно.

— Лерка, ты чудо! — шепнул он мне на ухо.

Я подняла глаза. Он смотрел на меня с такой нежностью, что мне вдруг захотелось разреветься, хотя я вовсе не плакса.

А он вдруг подмигнул мне.

— Не робей, воробей! Жизнь прекрасна, раз она свела нас здесь, в этой матери городов русских. Ведь в одном подъезде с моей мамой нам вряд ли что светило.

— А что нам сейчас светит?

— Ох, многое... Я не знаю, солнце, звезды, впрочем, это все хрень, а светит нам, Лерка, любовь. Я это сейчас так ясно понял... Только не дрожи. Мы никуда спешить не будем. Ты когда едешь домой?

— Послезавтра.

— А я послезавтра прямо отсюда лечу в Южную Корею.

— Зачем?

— Снимать кино. Копродукция. И, наверное, это даже хорошо в свете сложившихся обстоятельств.

— А что же тут хорошего?

— А проверить чувства... Черт побери, все, что вокруг любви говорится, как-то опошлено, слова какие-то затертые... Проверить чувства. Фигня какая-то, но тем не менее.

— Да, ты прав. Может, это просто наважде-ние, сиюминутное влечение... запросто! — бес-печно заявила я, хотя в душе у меня бушевала буря. — А ты туда надолго?

— Думаю, месяца за полтора управиться. Дождешься?

— Там видно будет.

— Гордая дивчина, — улыбнулся он. — Мне это нравится.

Господи, как же хорошо мне было! Мы танце-вали, говорили обо всем на свете и, казалось, мы знаем друг друга давным-давно.

— А пойдем завтра со мной на свадьбу! — вдруг предложил Игнат.

— Нет, я не пойду.

— Почему? Почему я должен идти туда один, когда у меня есть такая женщина?

— Игнат, я там никого не знаю.

— Это преодолимо, тем более что впредь тебе придется знакомиться с кучей новых людей.

— Мне туда кроме всего прочего не в чем пойти.

— Не проблема. Утром пойдем и купим все, что требуется.

— Нет, Игнат, спасибо, но нет.

— Не хочешь, значит... Боишься. Чего? Разочароваться во мне?

— Может быть. Ты умный.

— Ладно. Как говорится, была бы честь предложена.

— Ты обиделся?

— Знаешь старую мудрость: обиды — это привилегия горничных.

— Знаю.

— Думаешь, я сам жажду идти на эту свадьбу? Да нисколько. Просто Санька мой очень близкий друг и он так настаивал.

— Вот и прекрасно! А я не люблю многолюдные сборища в принципе.

— Любишь по углам прятаться, я уже понял. Но это неправильно и я в дальнейшем буду с этим бороться. Вот тебе сперва не понравилось здесь, а сейчас я не наблюдаю недовольства.

— Тут ты прав... Но дело ведь не в антураже, а в тебе.

Он молча поцеловал мне руку.

— Знаешь, чего мне хочется? — вдруг спросил он, когда мы уже вышли на улицу.

— Догадываюсь.

— Об этом я даже не говорю, но сегодня перед расставанием этого не нужно... Нет, я о другом. Мне безумно хочется набить морду твоему писателю.

— Да ты что! — расхохоталась я.

— Ну что это за говнюк? Такое сокровище ему досталось и, похоже, произвело на свет еще одно такое же сокровище, а он... Тьфу!

— Игнат, я не хочу о нем говорить, он уже в прошлом.

— Вот и сидел бы в прошлом, а то, видите ли, интервью дает, скотина! А что, мальчонку надо было на помойку выкинуть, чтоб ему, скотине, хорошо писалось? Обалдеть!

— Игнат! Да черт с ним.

— Нет, это что за тварь, собственную дочку так обидеть... Знаешь, руки чешутся!

— Игнат, ты же не так много выпил, с чего вдруг так завелся?

— Наверное, с того, что хочу тебя до ужаса, но сегодня не надо этого...

— Почему?

Он вдруг остановился, посмотрел мне в глаза.

— Я думал, а вдруг ты потом пожалеешь?

— Индюк тоже думал... А потом... будет суп с котом... — выпитое вдруг ударило в голову.

— Но не с индюком? Лерка, я люблю тебя. Ты просто чудо...

И он начал целовать меня на улице как сумасшедший. И мне так это нравилось...

Едва я открыла дверь, как в прихожую выглянула Елена Павловна.

— Лерочка, что с тобой? — прищурилась вдруг она. — Уж не роман ли ты завела?

— А что, так заметно?

— За версту видно. Вот и молодец, чего в твоем возрасте сидеть в уголочке?

Я засмеялась.

— Чего смеешься?

— А Игнат тоже все твердил, что хватит мне прятаться по углам.

— Итак, его зовут Игнат. Хорошее имя, не затертое. И означает — огненный. Ты не знала? Может, пока дети в школе, расскажешь?

Я рассказала.

— Это плохо, что он надолго уехал. Мужики, да еще киношники, это такой народ... Впрочем, может он и вправду полюбил тебя. А как он относится к детям? Кстати, Лера, я тут побыла с ними и вот что хочу предложить... Как ты отнесешься, если я заберу детей к себе? В Марокко?

— То есть как? — опешила я.

— У меня огромный дом, в саду. Учиться они смогут во французской школе или в посольской...

— Да ни за что! Елена Павловна, это мои дети!

— Никто их у тебя не собирается отнимать, чудачка. Я просто подумала, что тебе будет легче...

— Да не нужно мне, чтобы легче. Пусть мне будет сложно, но это мои дети и мои сложности.

— А Игнат?

— Да что Игнат? Откуда я знаю, увижу я его еще когда-нибудь или нет, а дети... Даже не думайте на эту тему! Еще чего!

— Молодец! — вдруг улыбнулась Елена Павловна. — Ты настоящая мать, не то что я... Я Димку подкидывала бабке при каждом удобном случае и вот теперь пожинаю плоды... Но на каникулы ты их отпустишь?

— На все каникулы?

— Да! Я покажу им Марокко. Поверь, это очень интересная страна. А на самую жару увезу их в Швейцарию. У нас есть домик в горах, оттуда я смогу повозить их по Европе. Мы всегда в самую жару уезжаем в Швейцарию.

— Вот это предложение! А вы им уже что-то говорили?

— Пока нет. Хотела обсудить это с тобой.

— Конечно, я всегда старалась летом куда-то их вывезти, но... точно, не в Швейцарию. А ваш муж возражать не будет?

— Он будет просто счастлив! Он обожает детей.

— Ну, если на каникулы... У меня в ближайшее время будет столько работы...

— Тогда тем более стоит увезти ребят.

— Господи, Елена Павловна, у меня просто нет слов...

— И не надо. Кстати, у ребят есть заграничные паспорта?

— Нет. Надо сделать. И еще, придется просить у Димы разрешение на Катькин выезд.

— Ну, об этом я позабочусь, тебе не придется с ним встречаться.

— А сколько лететь до Марокко?

— Пять часов. Это до Касабланки, а оттуда на машине в Рабат. Час-полтора. Ничего страшного. Посадишь их в Шереметьеве в самолет, а там я их встречу.

— Мне стыдно, но что там, в Марокко, Средиземное море?

— И Средиземное море и Атлантический океан. Но до моря от нас далеко, а океан близко. Ты когда-нибудь видела океан?

— Нет.

— Вот и увидишь. Ты просто обязана приехать за ребятами и сама немножко посмотреть Марокко. А ты знаешь, какие в Марокко вкусные фрукты? И сколько в них витаминов? Я когда только приехала туда, меня предупредили, чтобы я не злоупотребляла фруктами, а то может быть гипервитаминоз.

— Такое бывает? Первый раз слышу.

— Я тоже не знала. А какие там сладости!

— Я вижу, вы полюбили Марокко.

— Да. И у нас в Рабате есть русский культурный центр, и при нем даже открыли кафе «Пушкин».

— С ума сойти! Там много русских?

— Да. Очень много русских женщин, замужем за марокканцами. Там русская жена — это считается даже престижным. Как правило, это студенческие браки. Наши бляди туда в поисках богатых мужей не ездят, а поскольку марокканские мужчины бывают довольно ленивы, то русские жены им лениться не дают и они делают неплохую карьеру.

— Как интересно...

— А в Русском центре учат марокканских детей и русскому языку, и музыке, и рисованию, и балету, словом, у нас активная культурная жизнь... А может, найдем тебе марокканского мужа, они, кстати, очень чадолюбивы...

Я расхохоталась.

— Понимаю, сейчас у тебя в мыслях только твой Игнат. А, кстати, у тебя нет его фотографии?

— Есть. В телефоне.

— Покажешь?

Я с волнением протянула ей телефон.

— Ох, какой! Непростой парень... А морда славная, глаза веселые, добрые... И волосы хорошие, а то нынче все мужики какие-то лысые. Мне он нравится. — Она вдруг обняла меня. — Лерочка, я так хочу, чтобы ты была счастлива! И как мне обидно, что сын у меня, по сути, чужой человек. Но я сама виновата. И от этого еще горше. И если бы не ты и твои дети... Гришка, он проще Катюшки, но тоже чистое золото. — И она расплакалась.

Через два дня я проводила Елену Павловну и занялась оформлением загранпаспортов для ребят. Они были в полном восторге от бабушки и от-

— Мам, ты супер! Так здорово придумала! Хочешь, я скачаю тебе из Интернета этот сериал?

— Да мне дали диск, только смотреть как-то неохота.

— А я бы посмотрела.

— Зачем тебе эта чушь?

— Но это же твоя работа! Мне интересно и потом вдруг я что-то еще придумаю?

— Катька, золото мое!

Прошла неделя. Выяснилось, что в мое отсутствие Елена Павловна купила детям кое-какую одежку, но не велела до своего отъезда мне говорить об этом. И вещи все хорошие, дорогие. Надо же!

Я выехала со двора и увидела, что Вита Адамовна, мать Игната, ловит машину. Я затормозила.

— Вита Адамовна, вам куда?

— Ой, Лерочка! На Красноармейскую!

Соблазн был велик. Тем более, что я знала — на Красноармейской живет Игнат. Неужто он вернулся?

— Садитесь, мне в ту сторону, — соврала я. В конце концов я не особенно спешу.

— Спасибо, Валерия Константиновна.

— Можно просто Лера.

— Вот и славно.

— А как ваш песик? Не убегал больше?

— Нет, слава богу! Хотя вообще-то он неслух.

— Охотничий пес, воли хочет.

— Мой сын всегда это говорит.

Ага, вот мы и подошли к самой волнующей меня теме.

— Ну, конечно, это не городская собака.

— Знаете, это, возможно, глупость, но в молодости у меня был безумный роман с одним человеком, у которого был ирландский сеттер. И я мечтала, когда выйду на пенсию, заведу себе тоже такого красавца. Игнат меня отговаривал, но я была непреклонна... Глупо, да?

— Ну почему же? Это скорее трогательно.

— Мужчины таких вещей не понимают.

— Да, пожалуй.

Мы замолчали. Я боялась спросить про ее сына, а она, видимо, не знала, о чем еще со мной говорить. И вдруг спросила:

— Лерочка, а вы видели новый фильм Турышева?

— Какой?

— «Остаться в вечности».

— Нет, а что, хороший фильм?

— Не в том дело, просто его снимал мой сын.

— Турышев ваш сын? — прикинулась дурочкой я.

— Нет, — засмеялась старая дама. — Мой сын оператор, Игнат Рахманный.

— Да что вы! Рахманный, говорят, гениальный оператор! Обязательно посмотрю!

Она расплылась в счастливой улыбке.

— А вы чем занимаетесь, Лерочка?

— Пишу сценарии.

— О, вы тоже имеете отношение к кино?

— Скорее, к телевидению. Я пишу сериалы.

— А! Я сериалы не смотрю. Не люблю.

— Вполне вас понимаю.

— Вы обиделись?

— Да боже сохрани.

— Лерочка, у вас очаровательные дети. Катюша такая умная девочка и так хорошо воспитана. А Гришенька само очарование. Тут с ними гуляла, очевидно, ваша мама, и...

— Это моя бывшая свекровь, мы с ней очень дружим.

— А!

— А у вас есть внуки? — закинула я удочку.

— Увы, нет. Игнат холостяк, вечно в разъездах, в экспедициях, девушки у него не задерживаются...

— Понятно.

— Вот сейчас еду на его холостяцкую квартиру, надо снять показания со счетчиков воды. Честно говоря, я очень надеюсь, что мы не зря разъехались и рано или поздно он все-таки женится на хорошей девушке. Он ведь у меня красавец!

Я промолчала.

— А вы так не считаете? — готова была уже оскорбиться любящая мамочка.

— Знаете, я ведь вашего сына видела буквально одну минуту, в прихожей было не очень светло, и я не вглядывалась.

— Но он же приносил вам цветы!

— Да, спасибо большое, но меня дома не было. Но теперь при встрече непременно посмотрю.

— О, эта встреча будет еще не скоро, он сейчас в Южной Корее снимает.

— Вот и Красноармейская, какой дом?

— Еще немножко проедем, о все, приехали. Спасибо вам огромное! Я все время оказываюсь у вас в долгу!

— Да бросьте! Соседям надо помогать! Всего вам доброго!

— Еще раз спасибо, Лерочка!

— Не за что!

Ну и что я узнала? Что он красавец? Я его красавцем не считаю, красавец Никита Александров, а Игнат... Игнат просто прелесть! И не надо мне никаких красавцев!

Я поехала в нашу контору. Вошла в лифт и замерла. Там пахло тем волшебным одеколоном. С ума сойти... Надо, наконец, узнать, что это за запах.

Первой ко мне бросилась моя коллега и приятельница Соня Завьялова.

— Привет, Леруня!

— Привет. Что нового?

— Слушай, тебе нужна классная портниха?

— Портниха? Да вроде нет... А что такое?

— Понимаешь, мой двоюродный брат женился на потрясающей портнихе и ей позарез нужна работа. Ты понимаешь, она такое умеет! Тут моя тетка присмотрела себе одни костюмчик у Валентино. Дорогущий, ужас. Так эта Оля поехала с ней в магазин, обнюхала буквально каждый шовчик, а потом сшила точно такой же и он обошелся в шесть раз дешевле! Ты понимаешь, какие перспективы открываются? Она же может классно сшить любую фирменную вещь! Тот костюмчик стоил в магазине восемьдесят пять тысяч, а тетке он обошелся вместе с тканью в двадцать, есть разница?

— Да, круто! Но только мне как-то такие вещи без надобности.

— Как это хорошие вещи могут быть без надобности?

— Так это ж небось вечерний костюмчик был?

— Ну и что?

— А мне зачем? Куда я хожу?

— С тобой все ясно. Но если вдруг что-то возникнет, имей в виду. Вдруг замуж соберешься.

— Ладно, если соберусь... — рассмеялась я.

— Так как насчет кофейку?

— С удовольствием, но сначала надо с Зимятовым побазарить.

— Побазарь, а потом спускайся в кафе. Я тебе расскажу много интересного.

— Ну, если дождешься.

— А ты что, с Зимятовым ругаться собираешься?

— Боюсь, придется. Скажи, тебе не кажется, что если Таня не выйдет за американца, а останется с этим поганым Валерой, нас не поймут? Это в советском кино такой исход был обязательным, а сейчас...

— Честно? Я и сама так думаю.

— Но молчишь?

— Слушай, Лер, мне что, больше всех надо? Чего зря пыжиться? Делаем априори говно, так к чему залупаться? Думаешь, если мы эту идиотку выдадим за американку, у нас рейтинги выше будут? Вряд ли. Тем более, дело к концу идет, не все ли равно? Чего зря напрягаться?

— Я не могу так рассуждать.

— И пойдешь объяснять это Сашке?

— Пойду, попробую.

— Ну иди. Морально я с тобой, а лишний раз общаться с начальством не хочу! Ладно, я тебя жду в кафе. Есть еще темка, к нашему говнищу не относящаяся.

Как ни странно, Зимятов выслушал меня довольно благосклонно.

— Ты, пожалуй, права. Ладно, выдавайте Таньку за америкоса, хуже не будет, а этот недоносок Валера пусть останется на бобах. Он же в трудный момент не поддержал девушку, вот пусть и кусает себе локти! А ты молодец, Муромцева! Неравнодушная, это в наше время и в нашем деле редкость, можно сказать, на вес золота! Ну иди, и помни — ценю!

Ничего себе! Никак подобного не ожидала. Обычно у нас такого рода инициатива не приветствуется. Неужто новые веяния?

Я спустилась в кафе. Соня уплетала какое-то пирожное.

— Уже? — ахнула она. — Он что, тебя послал?

— Нет. Одобрил идею!

— Честно?

— Ага!

— С ума сойти, это что-то новенькое. Но я рада за тебя.

— За нас, Сонечка.

— Да ладно! Ой, Лер, а ты случайно не влюбилась?

— С чего ты взяла?

— Так влюбилась или нет?

— Ну есть немного... — почему-то смутилась я.

И вдруг я опять ощутила волшебный запах. Причем совсем близко. И тут же кто-то, пахнущий этим парфюмом, закрыл мне глаза руками.

Я почему-то испугалась.

— Кто это?

Мужчина отнял руки. Это был Никита Александров.

— Привет, Леруня!

Он был хорош! Видимо, для каких-то съемок у него были теперь седые виски, что необыкновенно ему шло.

— Девушки, вы позволите присесть?

— Конечно! — кокетливо ответила Соня.

— Спасибо. Позвольте представиться... — начал он.

— Да можете не представляться, господин Александров. А я Соня! — и она протянула ему руку для поцелуя.

Он галантно поцеловал протянутую руку.

— Леруня, примите мою искреннюю благодарность! Вы мой талисман теперь! Как только вы перевернули все с ног на голову, мне поступило еще два предложения, и кстати, очень интересных, один персонаж, правда, довольно злодеистый, но не безнадежно, а второй вообще геройлюбовник! Я ваш смиренный поклонник и вечный должник! Просите, что хотите!

— Есть одна просьба!

— Я весь внимание!

— Как называется ваш парфюм?

— «Иссие Мияки-спорт». А что?

— Сказочный запах!

Никита почему-то смутился. Смешно, такой здоровенный мужик и чего-то застеснялся. Впрочем, артисты вообще странные люди.

Соня вдруг вскочила и бросилась к какой-то немолодой женщине, и, схватив ее за руку, принялась что-то втолковывать.

— Леруня, а что вы делаете сегодня вечером?

— Вечером? Готовлю ужин детям, проверяю уроки.

— И много у вас детей? — разочарованно осведомился он.

— Двое.

— И муж есть?

— Мужа, к счастью, нет.

И в эту самую секунду я увидела, что в кафе вошел... мой бывший муж. Я давно его не видела. Он выглядел отлично. Элегантный, весь какой-то гламурный, что ли... И совершенно чужой.

— А вот, кстати, мой бывший муж, — зачем-то сказала я.

— Он кто?

— Модный писатель. Дмитрий Лощилин.

— Извините, не читал.

— С удовольствием извиняю.

— Ладно, Леруня, бог с ним!

Никита взял мою руку и поднес к губам, при этом подмигнув мне. Мол, пусть видит.

И я, дура такая, обрадовалась! Действительно, пусть видит! И в ответ тоже подмигнула и мы оба рассмеялись.

Как ни странно, увидев меня, Дима сразу направился ко мне. Это еще зачем?

— Здравствуй, Лера.

Я промолчала. Мне хотелось просто съездить ему по физиономии. Но он не обратил на это ни малейшего внимания, как, впрочем, и на присутствие Никиты. Сел на Сонин стул.

— Лера, мне нужно с тобой поговорить.

— Говори.

— Но это не для посторонних ушей.

— Да? А ты опубликуй в «Цепи событий» то, что хочешь сказать.

— Неостроумно. Я просто хотел предложить тебе написать сценарий по «Насморку». Ты талантливый сценарист, занимаешься всяким дерьмом, почему бы не попробовать себя в чем-то серьезном?

Меня захлестнуло ненавистью.

— Ты, ублюдок, иди отсюда! — прохрипела я. — Я лучше всю жизнь буду писать дерьмовые сценарии к дерьмовым сериалам, чем иметь дело с тобой! Как ты мог так написать о собственной дочери? А ты в курсе, что она отказалась носить твою фамилию? И это она попросила меня отказаться от твоих жалких алиментов!

— О! Так я и знал. Дело твое. Не хочешь, не надо. Найду другого сценариста. Не проблема! — И он с невозмутимым видом поднялся.

— Ошибаетесь, уважаемый! — вдруг произнес Никита. — Таких сценаристов, как Леруня раз-два и обчелся.

— Ничего, найдутся. А кобель у тебя роскошный!

Никита вскочил и схватил его за грудки.

— Эй ты, усосок, тебя не научили разговаривать с женщинами? Так я научу!

— Никита, отпусти его! Не тронь говно!

— Да, пожалуй, не стоит руки марать...

Никита был на голову выше Димы. Он хорошенько встряхнул его и отпустил.

Драться Димка не умел. Он здорово побледнел и быстро вышел из кафе.

— Что тут у вас было? — подскочила Соня.

— Ничего, небольшой урок хороших манер, — ухмыльнулся Никита. Именно так ухмылялись его кинозлодеи.

— Я пропустила, как всегда, все самое интересное! — шутливо посетовала Соня.

А меня буквально колотило от ненависти.

— Девушки, я, к сожалению, должен бежать, а вам, Леруня, надо выпить полста граммчиков, лучше коньяку.

— Я за рулем.

— Я тебя отвезу, — предложила Соня. — А тебе и впрямь надо выпить, тебя же трясет! Лер, что тут было? — спросила она с искренним участием. — Этот скот опять тебя оскорбил?

— Нет, как ни в чем не бывало предложил написать сценарий по его вонючему «Насморку».

— Редкая тоска, надо сказать. И это собираются экранизировать? Но ты его послала?

— Естественно, но не сдержалась, дура, высказала ему... А он принял Никиту за моего хахаля.

— Ну и пусть! Даже хорошо, он такой шикарный мужик... Слушай, это не в него ты влюбилась?

— Да нет, что ты...

— Но он, по-моему, положил на тебя глаз.

— Нет, он просто мне благодарен за смену амплуа. Только и всего.

Действительно, после коньяка мне полегчало.

— Ну вот, ты уже похожа на человека. Чашка кофе с пирожным, и ты придешь в норму. А потом я тебя отвезу. Лер, познакомь меня с твоими детьми. Очень мне любопытно взглянуть на них. Столько о твоей дочке слышала...

— Познакомлю, в чем проблема?

Я была страшно благодарна Соне за искреннее участие. У нее тоже личная жизнь не сложилась, как, впрочем, у большинства из нас.

И словно прочитав мои мысли, она вдруг сказала горько:

— Мне иной раз кажется, что нас в эти сценарные группы специально подбирают, с неустроенной личной жизнью...

— Зачем? — удивилась я.

— А чтобы мы свои обиды, мечты, невысказанные и несбыточные желания выплескивали в этих дурацких сценариях...

— Не думала об этом, но, впрочем, все возможно...

— А помнишь, когда Лилька вышла замуж, от нее довольно быстро избавились...

— Да ну, ерунда!

— Ничего не ерунда, я уверена на все сто!

— Ну и что? Нам-то с тобой чего бояться?

— А как же твоя любовь?

— Это еще не любовь, раз, наверняка не брак, два, так что...

— А я вот решила — если и выйду замуж, никому об этом не скажу.

— А кандидат уже есть?

— Вроде наклевывается.

— Ну... дай тебе Бог!

— А вот тебе, наверное, я бы призналась. Мы с тобой уже три года работаем, а ты ни разу не сподличала, никого не подставила и работаешь как-то по-честному...

— Зимятов обещал на следующем проекте сделать меня ведущим сценаристом.

— Ну и что? Но ведь не за подлость, а за гениальную идею, это совсем другое дело. И я лично буду рада работать не с этой глупой выдрой Зеленцовой, а с тобой. Знаешь, как она взбесилась, когда узнала про брата-близнеца! Зеленый ужас! Правда, Сашка предвидел такой поворот событий и сказал ей, что это идея Игоря Геннадьевича. Пришлось даме заткнуться.

— Ишь какой защитник угнетенных сценаристов выискался!

— Да он же в сущности неплохой мужик.

— Ну вроде да... А там, кто его знает. Сонь, скажи, а ты знаешь такого кинооператора Игната Рахманного?

— Ну, слыхала, что гений, но никогда даже не видела, а что?

— Да ничего, просто спросила.

— Ты это... в него?

— Ага.

— Как интересно! А он?

— Кажется, тоже. Только мы знакомы всего полтора дня и он улетел в Южную Корею. Снимать кино.

— Это что же, любовь с первого взгляда?

— Со второго.

— Лер, расскажи!

— Да, собственно, почти нечего рассказывать.

— Он тебе пишет? Звонит?

— Нет. Мы так договорились. Он сказал — чтобы не затереть в словах еще такие хрупкие чувства.

— Офигеть! Он такой трепетный или такой трепач?

— Хотелось бы думать, что трепетный, но заставляю себя думать, что трепач, — засмеялась я. — Вот, посмотри! — И я протянула ей телефон с фотографией Игната.

— Хорошая морда, славная... Но бабник скорее всего жуткий.

— Ну и пусть. Я ж замуж не собираюсь.

— А хочешь, я тебе все-все про него разузнаю?

— Да нет, зачем... Я и так кое-что знаю, его мама моя соседка.

— Это плохо.

— Почему?

— Потому что она тоже все о тебе знает, что двое детей... Какой мамаше это понравится? Начнет капать сыночке на мозги.

— Ну, он похоже, не из тех, кто будет слушать маму. И между прочим, показания водяного счетчика снимает мама, а не какая-то девица. Мне, например, это понравилось. И потом, я нашла убежавшую собаку и привела домой, это тоже чего-то стоит в глазах матери...

— Господи, Лерка, какая ты наивная. А впрочем...

— Ладно, Сонь, поехали, если ты не передумала, а завтра я заберу свою тачку, а то меня что-то развезло.

— Поехали, мне все-таки удалось тебя отвлечь.

— Ох, я же совсем забыла, мне надо кровь из носу заехать к тетке, она привозит морковку для Гришки, я обещала. Довезешь до Палихи?

— Без проблем. А тебе там надо посидеть?

— Увы, да.

— Значит, опять я твоих детей не увижу.

— Да приходи к нам в воскресенье на обед.

— Правда?

— Конечно, буду рада. Приготовлю что-нибудь вкусненькое.

— Лерка, ты человек!

— Значит, в воскресенье к двум.

— Это на кого ты похожа, скажи на милость? — встретила меня тетка, папина сестра. — Кто тебя так заездил, детки или начальство?

— Да никто, все нормально, тетя Нина. Просто понервничала немного.

— Немного? Краше в гроб кладут. Зеленая вся. Э, да ты выпила, что ли? И за руль? С ума спятила, девка! У тебя дети, это куда годится? Нешто спиться решила?

— Тетя Нина, дай сказать! Да, я выпила пятьдесят грамм коньяка, а за руль не села, меня подруга привезла. Так что все нормально.

— А с чего это ты средь бела дня коньяк хлещешь?

Муж тети Нины в свое время спился и попал под машину. Насмерть.

Пришлось ей все рассказать.

— Ну и скот! Мне он всегда не нравился. Для него люди мусор! А мне Лизка говорила, что тут свекровь твоя была?

— Ой, она совсем другой человек! Замечательный! И летом повезет ребят в Европу и в Марокко, они в ней души не чают. Гришка сперва плакал, что у него такой бабушки нет, но очень скоро успокоился. Ждет не дождется, когда к бабушке поедет.

— Ты на все лето отпустишь ребят?

— Отпущу. С Еленой Павловной отпущу. У меня работы невпроворот будет.

— Надо же, как в жизни бывает... Муж говно полное, а свекровь — золото. У меня так не было. И муж говно полное, и свекровь та еще погань... А ты знаешь, Лер, мой сосед по даче, такой хороший мужик и вдруг овдовел...

Тетя Нина частенько рвалась знакомить меня с «хорошими мужиками».

— Нет, тетя Ниночка, увольте. Не хочу!

— Ну и дура!

Тут позвонила Катюха.

— Мам, у тебя все нормально? Ты когда приедешь?

— Я у тети Нины. Скоро буду. Вы там сами поужинайте.

— Ладно. Но ты не очень поздно, да? Тете Ниночке привет!

— Что ж ты не поевши домой поедешь? Они там поедят. А ты?

— Ну и я поем дома. Так уже охота душ принять, смыть с себя всю эту пакость...

— Машину закажи.

— Да я поймаю!

— Не вздумай! Это опасно! Вон сколько про это говорят и пишут... Я сама тебе закажу. Алло, будьте добры машину на ближайшее время...

...На другой день вечером ко мне на кухню явилась Катерина.

— Мам, скажи, что вчера произошло? Ты виделась с... Лощилиным?

— Боже, откуда ты знаешь?

— Из Интернета, откуда!

— А что там такое? — всполошилась я.

— Пойдем, полюбуешься!

К счастью в Интернет кто-то выложил только стычку Никиты с Димой. Эта короткая сценка была снабжена следующим текстом: «Знаменитый писатель и еще не очень знаменитый актер схлестнулись в студийном кафе. Кажется, из-за дамы. Перевес был явно на стороне актера».

— Так ему и надо! — сказала я с облегчением. К счастью, мою перепалку с бывшим мужем никто не заснял. Я просто была там на заднем плане.

— А что там было, мам?

— Да ну, ерунда. Просто твой папаша был в своем репертуаре. Ни за что ни про что обхамил Александрова, а тот не стерпел.

— Не верю, как говорил Станиславский! — выдала моя образованная дочь. — Он наверняка обхамил тебя. С какой радости ему хамить незнакомому мужчине, который к тому же настолько выше него? Просто он не в состоянии понять, что

мужчина может вступиться за даму, только и всего. Ведь так?

— А ты как набрела на этот ролик? Ищешь в
сети все связанное с твоим папашей? Зачем, Катюха?

— Я не могу ответить тебе на этот вопрос
достаточно вразумительно.

— Катька, солнце мое, ты меня уморишь! —
засмеялась я.

Но тут явился Гришка.

— А вообще-то вам пора спать!

— Гришке пора, а мне еще нет!

— Да у тебя глаза слипаются! И у меня тоже.
Я лично ложусь, а ты как хочешь.

— Так еще только десять!

— Я устала. Григорий, что стоишь? Бегом
мыться и спать!

— А бабушка... У нее тоже надо будет рано
спать идти?

— Думаю, да. Но у бабушки вам в школу ходить не надо, так что может и будут какие-то
послабления.

— Ох, скорей бы... Хочу в Марокко! Эта
школа проклятая надоела мне жутко, там тоска на
занятиях, переменка — минутка! — продеклами-
ровал вдруг Гришка.

— Это что еще за вирши?

— Мои! — с гордостью произнес он. — Сам сочинил! Вам нравится?

Мы с Катюхой переглянулись.

— Почти гениально! — выдала она.

— Почему почти?

— Потому что не гениально.

Он нахмурился.

— Ты это сейчас придумал или раньше? — спросила я.

— Сегодня в школе.

— Ну и молодец! Жутко и минутка — очень недурная рифма. Продолжай в том же духе! — подбодрила я мальчишку.

— Дорогая мама Лера, не грусти без кавалера!

Я чуть не свалилась с дивана от хохота.

— Гришка, ты меня уморишь! Спать иди!

— Чтобы не расстроить мать, я пойду, конечно, спать! Спокойной ночи!

И он, страшно довольный, удалился.

— Мам, что это с ним?

— Не знаю, приступ поэтического вдохновения. Бывает!

В результате я легла спать в прекрасном настроении и мне приснился Игнат, первый раз за это время. Как хорошо, что он не обещал звонить или писать. Я бы, конечно, предпочла, чтобы он нарушил свое обещание, но... по крайней мере я не мучаюсь — почему да отчего нет вестей. Изредка встречаю его маму и по ее лицу понимаю, что, видимо, у него все в порядке. Трепетный трепач! Хорошо придумано.

Игнат сам себе удивлялся. Неужто я и впрямь влюбился? Какое странное забытое чувство... Скоротечные киношные романы не оставляли в душе никакого следа, да он и не стремился ни к чему большему. А тут эта женщина... Она какая-то настоящая... светлая... и очень независимая. Она вызывает уважение. А это так важно для меня. И так непривычно. Но вообще-то она могла бы нарушить нашу договоренность и хоть разок позвонить. Нет, она гордая, сама не позвонит. А может, плюнуть на все и позвонить? Услышать голос и что-то для себя понять? А вдруг я попаду в неподходящий момент, когда ей неудобно будет говорить? Вдруг она не задохнется от радости, как задохнулся бы я? Нет, к черту эти сомнения. Договоренность есть договоренность. Впрочем, времени на такие размышления у него было катастрофически мало, но она ему снилась и эти сны тревожили его. Всякий раз во сне она от него убегала. И однажды он решился спросить у пожилой актрисы, снимавшейся в роли приемной матери героя:

— Людмила Сергеевна, вы умеете сны толковать?

— Боже, Игнаша, я не отгадчик снов, как говорил, кажется, Чацкий. Знаю только, что сны следует толковать наоборот. Видишь человека нарядным, это к беде. А если в лохмотьях, это к чему-то хорошему. А что там тебе снилось?

— Да чепуха, — смутился вдруг Игнат.

— И все же?

— Ну, мне часто снится, что одна девушка... от меня убегает.

Пожилая женщина глянула на него с материнской нежностью, ей страшно нравился этот парень.

— Это любовь, Игнаша?

— Не знаю пока.

— Ну, если убегает, значит ждет не дождется.

— Спасибо вам, — прочувствованно сказал Игнат и вдруг покраснел.

С ума сойти, подумала Людмила Сергеевна, такой роскошный мужик и какой-то трепетный оказался, вот уж никогда бы не подумала. Счастливая та девушка... Впрочем, сможет ли она оценить свое счастье? Нынешним девушкам что-то другое требуется.

...Вита Адамовна собиралась гулять с собакой. И вдруг в дверь позвонили. На пороге стояла девушка лет двадцати трех, хорошенькая, как картинка, прелестно одетая. И смущенно улыбалась.

— Здравствуйте, — пролепетала девушка. — Вы Вита Адамовна?

— Да. А вы, простите, кто?

— А я Милада.

— Милада? Какое красивое имя! Что вас привело ко мне, Милада?

— Мне очень-очень нужно с вами поговорить.

— Сейчас я должна вывести собаку, видите, он уже рвется... Пойдемте со мной на скверик, я его спущу, мы сядем на лавочку и поговорим.

— Ну, хорошо... — согласилась девушка, хотя ей не очень нравилась такая перспектива. В сквере, где бегают собаки и дети сложно сосредоточиться, особенно пожилой женщине.

Ну вот, наконец, они уселись на лавочке, погода была уже по-весеннему теплой и ласковой.

— Так я вас слушаю, деточка.

Девушка собралась с духом.

— Вита Адамовна, я... я люблю вашего сына.

— И вы хотите сказать, что ждете от него ребенка? — насторожилась Вита Адамовна.

— Нет. Что вы! Я просто люблю его всем сердцем.

— Простите, Милада, но почему вы мне это говорите?

— Потому что я знаю, что у вас с Игнатом чудесные отношения, он вас обожает, и...

— А он, простите, как к вам относится?

— У нас все было чудесно! Мы думали пожениться и вдруг...

— Пожениться? Вы в этом уверены?

— Ну да. А что?

— Странно. Если бы Игнат захотел жениться, он, безусловно, поставил бы меня в известность, познакомил бы с вами, а тут...

— Он и собирался это сделать по возвращении из этой своей Кореи. Вита Адамовна, не поймите меня неправильно, я ни за что не пришла бы к вам, если бы не была уверена в Игнате, но тут случилось нечто... Нечто очень опасное для него. Ну и для вас, я думаю, не очень желательное...

— В чем дело, Милада? — встревожилась Вита Адамовна.

— Он, то есть Игнат... перед Кореей поехал в Киев.

— Ну да, на свадьбу Саши. И что там? Он отбил у Саши невесту?

— Нет, что вы! Игнат благородный человек. Но там он встретил взрослую женщину, мать двоих детей, и у них вспыхнул роман. Она задурила ему голову...

— И что?

— И он пропал...

— Что значит пропал?

— Он за все время ни разу не позвонил, ни строчки не написал и вообще... как будто меня в его жизни нет...

— Скажите, а как вы об этом узнали?

— О, совершенно случайно. Моя подруга засекла их в киевском ресторане, сняла на телефон и прислала мне... Я была в полнейшем отчаянии, пыталась ему позвонить, но он не берет трубку. А я так его люблю, Вита Адамовна! И зачем ему женщина с двумя детьми? Она на десять лет старше меня, это же нонсенс! Вот, если вы мне не верите, посмотрите сами, они танцуют, и у него такое лицо! Вита Адамовна, его надо спасать!

Вита Адамовна взяла в руки айфон Милады и ахнула. Игнат держал в объятиях ее соседку Леру. И выражение лиц у обоих было вполне недвусмысленным.

— Но это же Лера... — пролепетала пожилая дама.

— Вы ее знаете?

— Да, она живет в моем подъезде.

— И вы считаете, это нормально?

— Нет, отнюдь... И надо же, какая тихоня... На днях подвозила меня на своей машине к дому Игнаши и ни словом не обмолвилась... Нет, этому не бывать! Зачем мальчику взваливать на себя бабу с двумя детьми? Я, конечно, хочу внуков, но своих, а не чужих... А она вряд ли захочет третьего ребенка...

— Второго!

— То есть?

— А мальчишка не ее, это сын ее погибшей сестры. Из-за него от нее ушел первый муж.

— А вы откуда все это знаете?

— Навела справки. Надо же знать, на кого меня променяли.

— Ну да... А может, это просто мимолетное увлечение? Ну мало ли... Бывает. А вернется из Кореи и не вспомнит о ней? Может же такое быть?

— Понимаете, если бы она не была вашей соседкой, то да, возможно...

— А при чем тут это?

— Вита Адамовна, миленькая, да он же будет к вам приезжать, и она уж сумеет ему о себе напомнить. Она опасная особа, из-за нее вечно какие-то стычки между мужиками возникают, вот, хотите взглянуть, на студии один актер схватился с ее бывшим мужем. Вот, полюбуйтесь!

— Ну надо же... А мне она казалась такой милой, тихой...

— В тихом омуте, сами знаете, кто водится.

— А что это за актер?

— Да так, сериальный... Но эффектный мужик, ничего не скажешь!

— Думаете, у них с Лерой что-то есть?

— Я не знаю, но он о ней очень восторженно отзывался. Он холостой. Она одинокая женщина в самой поре, так почему бы и нет?

— А с Игнатом у них что-то было?

— Посмотрите на их лица. И жили они в одной гостинице, как мне сказали.

— Кто сказал?

— Администратор. Я позвонила туда и спросила, в такие-то числа жила там такая, сказали, да.

— А вы, Милада, девушка не промах!

— Ах, Вита Адамовна, я люблю Игната, люблю безумно, и я хочу все знать, чтобы... Короче, глаза надо держать открытыми.

— А ко мне вы все-таки зачем пришли? За помощью? Вы вряд ли в ней нуждаетесь.

— Нет! Просто я хотела познакомиться с мамой любимого человека, ну и все-таки ввести вас в курс дела, а если уж совсем начистоту... да, мне действительно нужна ваша помощь.

— А вы артистка?

— О нет! Я окончила филфак МГУ, работаю в одной фирме переводчиком, хорошо зарабатываю. А Игната я просто безумно боюсь потерять. У меня, поверьте, не было какой-то строго определенной цели, когда я решилась прийти к вам. — И девушка слегка смущенно улыбнулась. При этом была чудо как хороша.

Вите Адамовне она понравилась. Энергичная, предприимчивая, а в то же время милая и скромная. И, кажется, действительно любит Игната. И не актриска, которой нужен успешный кинооператор, а с хорошим образованием, работающая в совершенно другой сфере, не киношница... Ну, может, чересчур современная, я бы в ее ситуации ни за что не пошла бы к матери возлюбленного, но они ведь теперь совсем другие. И такая красоточка, от нее и дети будут прелестные, мои внуки... Я так хочу внуков! А эта Лерка, видно, та еще змея... Слова не проронила про Киев. Значит, рыло в пуху. Потому как если б все было чисто, она бы непременно сказала мне, что встретилась с Игнашей в Киеве. Нет, я не допущу, чтобы Игнат сделал такую глупость. Не бывать этому!

— Знаете что, Миладочка, а пойдемте ко мне, я напою вас чаем с маковым рулетом. Мне вчера подруга принесла. Он хоть и покупной, но очень вкусный.

— О, спасибо, Вита Адамовна, с удовольствием. А я сама пеку рулет, правда, я предпочитаю с курагой и орехами.

— Вы еще и готовить умеете?

— Да, я хорошо готовлю, у меня мама прекрасная кулинарка, вот я у нее и научилась...

Похоже, этой девушке нет цены, с удовольствием отметила про себя Вита Адамовна.

— Эй, Денди, домой!

Как странно, Вита Адамовна сегодня со мной едва поздоровалась. Что бы это значило? А впрочем, может она о чем-то задумалась? Скорее всего. После стычки с Димой мне вдруг стал звонить Никита. Раза два приглашал куда-то, но я отказалась. Он неплохой малый, но мне-то он зачем? Хоть от него и пахнет теперь этим волшебным парфюмом. Смешно, ей-богу. Сам по себе парфюм меня волнует, а в сочетании с Никитой — нет. А вот если бы им пахло от Игната... О, тогда бы я окончательно голову потеряла. А я разве еще ее не окончательно потеряла? Прошло уже пять недель, как он уехал. Но я же понимаю, что полтора месяца вполне могут превратиться и в два, и в два с половиной... А через две недели уже уедут дети. Май на дворе, и я влюблена... Соня, с которой мы после ее визита к нам крепко сдружились, смотрит на меня, качает головой и говорит:

— Муромцева, кончай дурью маяться! А то придется менять фамилию на Дуромцева.

А я в ответ блаженно улыбаюсь. Давно мне не было так хорошо!

— Мам, — встретила меня Катюха. — Бабушка звонила!

— И что говорит?

— Что хочет сама за нами прилететь. Мам, ну не надо! Лучше мы одни! Так интереснее. Королевские марокканские авиалинии! Это же мечта! Улетаем в Касабланку! А с бабушкой не то! Мам, ну попробуй ее уговорить, скажи, что мы уже не маленькие!

— Да скажу! Но ведь еще надо получить разрешение от твоего папаши... А мне ему звонить...

— Бабушка уже позвонила. И он сказал, что сделает. Ты только должна ему позвонить не позже двадцатого, а то он куда-то слиняет.

— О господи! Ладно, сделаю. И бабушку попробую уговорить. В самом деле, чего ей летать взад-вперед в ее возрасте.

— Мам, не откладывай, позвони ему сейчас, чтоб уж не мучиться. Вот тебе трубка, звони!

— Думаешь?

— Ну я ж тебя знаю, мамочка. Зачем лишние мучения? Лучше сразу зуб вырвать!

— Ну, может ты и права.

Я собралась с духом и позвонила.

Ответила его жена.

— Можно попросить Дмитрия Сергеевича?

— А кто его спрашивает? — как мне показалось, всхлипнула женщина.

— Валерия Муромцева.

— Лера? Вы насчет разрешения на выезд Катеньки?

— Да.

— Дима уехал, но разрешение оставил. Может, мы бы с вами где-то пересеклись?

— Да, с удовольствием! — вырвалось у меня.

— А давайте прямо сегодня часов в шесть у метро «Кропоткинская». Вас устроит?

— Вполне. Но как мы друг друга узнаем?

— Я вас узнаю. Я видела вас, мне Дима както показывал...

— Отлично, спасибо, только, извините, я не знаю, как вас зовут.

— А... Марина.

— Ах да, я вспомнила, простите.

— Ничего страшного, — опять всхлипнула она.

— Марина, вы плачете?

— Нет-нет, просто... у меня насморк. До встречи, Лера.

Мне понравился ее голос, мягкая манера говорить. Наверное, хорошая женщина... А этот монстр довел ее до слез. И какое счастье, что не придется с ним встречаться. Я везучая, что ли? Кажется, я в это скоро поверю. Вот увижу Игната и тогда поверю окончательно!

— Везучая ты, мам!

— И не говори!

— Мам, а ваши в «Браслете» совсем офигели?

— А что? — вскинулась я.

— Помнишь, там Настя находит котенка?

— Ну?

— Котенок у нее такой темненький весь, пушистенький. А когда вырос, стал гладкошерстным и белопузым.

— Серьезно?

— Ага! Это что, такая проблема, найти темного пушистого кота? Тоже мне невидаль? Ну нельзя же так не уважать зрителя!

— Ох, Катюха, не сыпь мне соль на раны...

— Да ты при чем?

— Меня это бесит. Создается впечатление, что всем наплевать на конечный продукт. Они просто думают, что никто не обратит внимания, какой там котенок был двадцать три серии тому назад. Козлы! Ненавижу!

— Ладно, мам, не заводись!

— Легко сказать...

— Да, мам, ты знаешь, эта хозяйка Денди такая странная...

— А что? — насторожилась я.

— Понимаешь, мы с Гришкой шли вместе из магазина, смотрим, она с Денди гуляет. Ну, Гришка, конечно, к ней побежал, поздоровался, хотел погладить собаку, а она как заорет...

— Собака?

— Да не собака, а тетка.

— И что она орала? — испуганно спросила я.

— Что нечего лезть к чужим собакам, что собака не дай бог укусит, а ее потом по судам затаскают. Гришка так обалдел, чуть не заплакал. Вот дура!

— Катюха, я надеюсь, ты смолчала?

— Еще чего! Да я за Гришку... Я ей сказала, что, похоже, к суду придется привлечь собаку за неадекватное поведение хозяйки!

— С ума сошла!

— А она в ответ такую странную вещь сказала...

— Какую?

— Она перекрестилась и говорит: «Слава тебе Господи, люди добрые предупредили!»

— О боже!

— Мам, ты что-нибудь понимаешь? О чем ее предупредили?

— Да откуда я знаю? Она, по-видимому, просто с приветом. Вожжа ей под хвост попала. Все, мне пора собираться на встречу с женой твоего папаши.

— Мам, давай мы не будем называть его «моим папашей»! Будем говорить просто «Лощилин». И все!

— Ну, хорошо... раз тебе так лучше...

— Да, лучше. Потому что «твой папаша» звучит так, как будто я тоже в чем-то виновата.

— Знаешь, Катька, а в тебе сильны гены Лощилина. Хорошо чувствуешь язык.

— Надеюсь, это твои гены, мамуля!

Я села в машину, но у меня так тряслись руки, что я побоялась ехать. И побежала к метро. К тому же в такой час я могу застрять в пробке.

Опаздывать на встречу с заплаканной женой Лощилина мне не хотелось. Но что же такое произошло, если Вита Адамовна, прежде сама любезность, просто кидается на моих детей? Неужто Игнат что-то ей сказал про меня? Хотя нет, тут явно кто-то другой постарался. Она же сказала «люди добрые предупредили». Но детки-то мои тут при чем? А кто мог что-то знать? Да и было-то у нас всего полтора суток и к тому же в Киеве. Ничего не понимаю. Виктор, правда, что-то заподозрил, и он давно знает Игната... Но не мог же он предостерегать его маму от меня? Абсурд! Да и сболтнуть кому-то тоже не мог, не из тех, много раз проверено. Чепуха какая-то. Если б не фраза про «добрых людей», я бы решила, что у старушки просто крыша малость соскользнула. А может, это у меня, что называется, «на воре шапка горит»? Надо будет при случае просто подойти к ней и заговорить как ни в чем ни бывало. В этих размышлениях я добралась до Кропоткинской. Марину я узнала сразу, видела ее на экране. Красивая, нежная девушка.

— Марина? Здравствуйте!

— О, Лера, добрый день! Может, мы зайдем куда-нибудь, выпьем кофе, а то погода уж больно скверная. Вы не очень торопитесь?

— Да нет, я с удовольствием.

— Вот! — она вытащила из сумки конверт. — Это разрешение на выезд для Кати.

— Спасибо большое.

А зачем, собственно, мы пришли в это кафе? О чем нам разговаривать?

— Вы, наверное, думаете, зачем я вас сюда привела? Понимаете, Лера, я слышала о вас много хорошего...

— Но не от Димы?

— Нет, — улыбнулась она. — Не от Димы. Но мне крайне неприятно было прочесть его интервью. Мы поссорились тогда... И я просто хочу за него попросить у вас прощения.

Я чего угодно ожидала от этого разговора, но только не извинений.

— Да вы-то здесь причем?

— Я все-таки его жена, я люблю его, но мне крайне неловко...

— Послушайте, Марина, — перебила я ее, — а это никак не связано с экранизацией «Насморка»?

Она так удивилась, что я сразу ей поверила.

— О чем вы, Лера? Я не понимаю!

— Дело в том, что Дима недавно подошел ко мне на студии и как ни в чем не бывало предложил написать сценарий по «Насморку».

— Но вы отказались?

— Конечно! Я не желаю иметь с ним никаких дел. Ни за что!

— Лера, вы любили его?

— Да, когда-то любила. Но я счастлива, что мы расстались!

— Вам было тяжело с ним?

— Да нет, не сказала бы. Поначалу все было нормально, даже хорошо. Но когда в доме появился Гриша... Марина, а вы не выглядите счастливой, — вдруг сказала я, — и я чувствую, хотите задать мне какой-то вопрос, но не решаетесь, я права?

Она подняла на меня прекрасные аквамариновые глаза.

— Скажите, Лера, у него раньше бывали приступы бешенства?

— Бешенства? Да нет, не бывало... Ну злился иногда, конечно, но я бы это бешенством не назвала. А что, теперь бывает?

— Да, — еле слышно пробормотала она, — три раза уже было. Это так страшно... Извините, Лера, но вы не в курсе, у них в роду не было сумасшедших?

— Даже так? Нет, мне об этом ничего не известно.

— К нам приходила его мама, прелестное добрейшее существо... Еще я знаю его дядьку по отцовской линии...

— Андрея Пантелеймоновича? Чудесный старикан! И вообще, если бы что-то такое было, наверное, я бы знала...

— То-то и оно. Я даже умудрилась показать Диму психиатру, ну, он об этом не знал, я просто познакомила их как бы случайно.

— И что?

— Это очень хороший опытный психиатр, он старый друг моего отца... и он сказал, что больше всего это смахивает на истерику не в меру распущенного субъекта... Лера, а вам удавалось давать ему отпор?

— Конечно. — Вот теперь, кажется, я начинала понимать, зачем я ей понадобилась. — Скажите, Марина, а третий приступ был сильнее первого?

— О да!

— Похоже, ваш психиатр не ошибся. И знаете что, в следующий раз просто дайте ему по роже и чем сильнее, тем лучше. Уверена, он сразу очухается.

— А если будет только хуже?

— Тогда я не знаю, что еще могу вам посоветовать.

— А вы...

— Вы хотите спросить, давала ли я ему по роже?

— Ну да, — испуганно пролепетала она.

— Было. Два раза. Один раз он дико вызверился на Катьку за разбитую чашку. Ей было три года, и она со страху забилась под диван и ни за что не хотела вылезать. Ну, я вызвала его на кухню и влепила оплеуху. Он сразу очухался, и даже попросил у Катьки прощения. А в другой раз он как-то очень мерзко и грязно говорил о своей матери... И, кстати, после этих взбучек он долго вел себя безупречно. Его надо просто вовремя приводить в чувство.

— Я, наверное, не смогу.

— Ну и зря! Я же вижу, вы его любите и хотите ему помочь. Но другого способа я не знаю.

— Спасибо вам, Лера. Мне многие говорили, что вы хороший человек...

— Полагаю, Дима с вами не согласился бы.

— А знаете, Лера, мне иной раз кажется, что он до сих пор вас любит.

— Это вряд ли! Да и не нужна мне его любовь. Видели бы вы, как Катька страдала, прочитав это интервью...

— Очень живо себе представляю.

— И она категорически отказалась носить его фамилию.

— А он об этом знает?

— Понятия не имею. Он для меня уже далекое прошлое. Да, кстати, Марина, мне сказал один режиссер, что Дима запретил вам сниматься в его сериале...

— Гаранин?

— Да.

— Это не совсем так... Мне самой не очень-то хотелось там сниматься и я, чтобы не обидеть Виктора, просто сослалась на запрет мужа...

Я ей не поверила. Но промолчала. И только на прощание посоветовала:

— Марина, не дайте ему сломать вам жизнь и карьеру. Он это может. Ну, мне пора. Дети дома одни. Спасибо большое, что передали это разрешение. Мне встречаться с Димой было бы в лом.

— Как жаль, что мы не можем быть подругами...

Часть
Вторая

До возвращения в Москву оставались сутки. Игнат уже дрожал от нетерпения. Здесь ему все обрыдло, а там, в Москве Лера, Лерочка, Леруня. Он сам себе дивился — что, брат Игнаша, влюбился? И сам себе отвечал — факт, влюбился. А может, и вовсе полюбил? Она такая... Нежная, но характер — будь здоров! Ни разу не написала, не позвонила, как мы и договаривались... А может, просто я ей ни на фиг не нужен? Другая, если бы влюбилась, уж разок бы эсэмэсочку сбросила... Мол, скучаю, жду... Я ведь задержался почти на три недели, неужто не волнуется?

— Игнаш, ты чего такой задумчивый, а? — спросил его звукорежиссер.

— Есть о чем подумать, — улыбнулся Игнат.

— О прекрасной даме?

— Знаешь, а ты недалек от истины.

— Она будет тебя встречать? Хотелось бы взглянуть, у тебя, говорят, отличный вкус!

— Еще чего!

— Она замужем, что ли?

— Отвянь, Филипп, за пределами съемочной площадки твое мнение не учитывается.

— А ты чего грубишь? Я, между прочим, могу дать хороший совет младшему товарищу...

— По поводу чего?

— Если твоя дама не замужем, нагрянь к ней неожиданно, как гром среди ясного неба. Сразу все поймешь.

— Совет твой уж больно неоригинален, брат Филипп. Сам разберусь.

— Дело твое, как говорится, была бы честь предложена, — обиделся Филипп.

В аэропорту Сеула Игнат уже вытащил из кармана телефон, повертел в руках и спрятал обратно. Пожалуй, и в самом деле лучше нагрянуть неожиданно и сразу все понять... Матери он тоже не стал сообщать о точном сроке своего возвращения, она всегда страшно волнуется во время его перелетов. Поставлю соседок перед свершившимся фактом, решил он. Почему-то он ни на секунду не поверил снимкам, присланным около месяца назад, где его Леруня была запечатлена в обществе красавца Никиты Александрова, только посмеялся над наивностью дурочки Милады. А кому, кроме нее, это могло понадобиться? Ничего крамольного на этих фотографиях не было. А выражение лица Леруни свидетельствовало о полнейшем ее равнодушии к Александрову. Уж я-то помню, какое у нее было лицо, когда мы танцевали там, в Киеве. Столько на нем читалось... А тут — милая вежливая улыбка, не более того. И мучиться ревностью из-за такой улыбки попросту глупо. Сейчас важно только то, что отразится на ее лице при виде меня...

Прошло уже больше двух месяцев, а от Игната ни слуху ни духу. До отъезда детей у меня свободной минутки не было, но вот позавчера они улетели и уже ночью я получила от них сообщение: «Мамуля, прилетели, все супер! Бабушка встретила! Едем в Рабат! Дедушка Франсуа классный! Идет мелкий дождик! Целуем тебя!» И едва я перевела дух, как сразу меня кольнуло — а что с Игнатом? Наверное, просто забыл обо мне... Мало ли таких скоропалительных романчиков у него было... ну еще один, подумаешь... Надо просто выкинуть его из головы. Тем более его мамочка уже готова меня со свету сжить. Как-то вскоре после скандала, который она закатила моим детям, я, встретив ее во дворе, вежливо с ней поздоровалась. Она меня ответом не удостоила. Тогда я спросила, что, собственно, произошло. О Боже, чего я в ответ наслушалась!

— Вы, дамочка, и не мечтайте о моем сыне, ничего у вас не выйдет! Конечно, брошенке с двумя детьми охота захомутать знаменитого кинооператора, да еще такого прекрасного во всех отношениях парня, как мой Игнаша, но ему-то это зачем? Ему свои детки нужны, а не незнамо чьи. Имейте в виду, у Игната есть девушка, молоденькая, красивая, не вам чета, они любят друг друга, а вам тут, дамочка, ловить нечего, так и запомните! Ишь чего надумала!

Я молча выслушала этот вполне хамский монолог, но просто так проглотить этот ушат дерьма я, конечно же, не смогла. Я смерила ее ледяным взглядом и произнесла только:

— Ку-ку!

Повернулась на каблуках и ушла.

Правда, дома дала волю слезам. Потом позвонила Соне и все ей рассказала.

— Да ну, Лерка, все естественно, не может же бабе дважды повезти со свекровью.

— Да какая она мне свекровь? Откуда?

— Потенциальная. А ты в курсе, насколько велико ее влияние на любимого сыночка?

— Почем я знаю?

— Скоро узнаешь.

— Или нет.

— Это почему?

— А может, он давно уже вернулся.

— Нет, он возвращается завтра.

— А ты откуда знаешь? — ахнула, и сердце ушло в пятки.

— Узнала по своим каналам.

— Сонь, ты серьезно?

— Более чем. Если очень надо, могу узнать даже номер рейса, поезжай в аэропорт, встреть его.

— Ни за что на свете!

— Почему?

— А я гордая. Меня не хотят, навязываться не стану.

— Мамаша его тебя не хочет, что, впрочем, довольно естественно, согласись? А про него мы этого пока не знаем. Но мчаться в аэропорт, пожалуй, и вправду не стоит. Поглядим, как будут развиваться события. Думаю, он прорежется дня через два, пока очухается после перелета, то, се, словом, раньше четверга вряд ли. Короче, контрольный день пятница.

— Сонь, а вдруг он вообще не прорежется? — всхлипнула я.

— Вот не думаю. Но если так, то это значит только одно.

— Что?

— Что он просто не твой кадр.

— Ох, Сонька, если б ты знала, до какой степени он мой кадр...

— Я тебя умоляю! Кому нужна любовь без взаимности, да еще в наше время, да еще с такой мамочкой? Поверь, такая баба любую взаимную любовь отравит. Она же тебя априори возненавидела. А ведь точно ничего знать не может. Словом, постарайся лучше вообще выкинуть из головы этого типа, по крайней мере пока он не появился. Займись нашим тошниловом-мочиловом, отвлечешься, и для дела полезно.

— Да мне бы от этого тошнилова отвлечься, мозги уже плавятся...

— Так езжай куда-нибудь. А давай вместе куда-нибудь к морю мотанем, работать и там можно, вдвоем дело веселей пойдет, а?

— Я подумаю.

— С тобой все ясно. Будешь ждать явления Игната.

— Сонь, как ты думаешь, дождусь? — и сама ужаснулась заискивающим ноткам в своем голосе.

— Если он не полный дебил, дождешься.

Я всхлипнула.

— Вот еще вздумала — реветь из-за мужика.

— Понимаю, глупо, но он такой...

— Знаю, знаю, трепетный трепач!

Из аэропорта Игнат поехал к себе. И, как ни странно, не стал сразу звонить матери, хотя обычно именно так и делал. Почему-то сегодня не хотелось. Он увидел, что в квартире прибрано, на письменном столе аккуратной стопочкой лежат оплаченные счета и квитанции и сдача с оставленных им денег. Сколько раз он говорил матери, чтобы брала эти деньги себе, тем более, что каждый месяц он дает ей деньги в зависимости от состояния кармана, больше или меньше, но никогда не менее пятнадцати тысяч. Мать всякий раз смущается, но знает, что спорить с ним по этому поводу бессмысленно. А вот на кухонном столе он обнаружил придавленную сахарницей записку: «Игнаша, позвони сразу, как приедешь. Есть чрезвычайно важный разговор. Мама». Так, очень интересно! Что это за разговор такой, да еще чрезвычайно важный? Если бы с матерью что-то случилось, она бы не так написала. А, скорее всего, нашла мне очередную невесту и ей не терпится осуществить задуманное знакомство.

Тьфу! Никогда ни одна из маминых кандидаток Игната решительно не устраивала, да и вообще он ненавидел, когда ему что-то навязывают.

Вот, как чувствовал, не буду сегодня никому звонить... Приму душ и завалюсь спать. Все — завтра. Утро вечера мудренее, давным-давно известно. Я чертовски устал в этой Корее.

Он заснул, едва уронив голову на подушку. И ему приснился странный и очень неприятный сон. Он, мальчишка лет двенадцати, стоит на берегу реки у них на даче, и вдруг на другом берегу видит Леру, взрослую женщину в красном бикини, и понимает, что эта женщина — главный смысл его жизни.

— Лера, Лерочка, плыви сюда! — кричит он ей.

Она, увидев его, подпрыгивает от радости, машет руками и бросается вплавь. Он тоже вбегает в воду, но видит, что из воды на середине реки вдруг выныривает мать, хватает Леру и начинает ее топить. А ему кричит: «Назад! Назад! Не смей входить в воду. У тебя гланды! Ты мне обещал!» А по воде уже только расходятся круги, Леры не видно, и он горько плачет, а мать гладит его по головке, приговаривая: «Маленький мой, тебе не нужна эта старая тетка, ты еще ребенок, тебе еще рано... Хочешь, заведем козу? Или собачку?»

Игнат проснулся в холодном поту. Он крайне редко запоминал сны, но тут помнил все, как помнил каждый кадр своего фильма... Он взглянул на часы. Начало шестого. Вскочил, оделся, нашел в холодильнике яблоко, мать позаботилась, быстро схрумкал его и выбежал из квартиры. Машина дожидалась его на стоянке.

— О, Игнатий, с возвращением! — приветствовал его сторож. — А я как чуял, что вернешься, коняку твоего вчерась протер, вон как сверкает!

— Спасибо, Степаныч, нет слов! — Игнат сунул ему пятьсот рублей.

— Хороший мужик ты, Игнатий, правильный, а то такие есть...

Игнат не стал слушать, «какие есть», и включил зажигание. Он ни о чем не думал, не смотрел на часы, просто гнал машину по еще относительно пустым улицам и без проблем добрался до места. Но остановился у соседнего дома, чтобы мать случайно его не засекла. Он знал, что она встает, как правило, не раньше девяти. Пулей влетел в подъезд. Лифт стоял внизу. А вот и Лерина дверь. На мгновение ему стало страшно.

А вдруг у нее кто-то есть? Я не переживу, подумал он. Да ерунда, переживу, конечно, но уж никогда не поверю ни одной бабе. Он прислушался. За дверью было тихо. Он поднес палец к кнопке звонка, чуть помедлил и позвонил. Потом еще раз. Она еще спит?

— Кто там? — раздался испуганный голос.

— Лерочка, родная, это я, Игнат!

Дверь стремительно распахнулась. Лера была в коротенькой синей рубашке на двух тонких бретельках, босая, растрепанная со сна. Но при виде его вдруг подпрыгнула и повисла у него на шее.

— Господи, Игнат, приехал, какое счастье, я так ждала!

А он изо всех сил прижимал ее к себе, вдыхал ее запах.

— Лерка, солнце мое, если б ты знала...

— Нет, если б ты знал...

— Лерка, ты чего ревешь?

— Я от счастья, Игнат, я... я так тебя, оказывается, люблю... Ты мой самый лучший, самый родной, — еще пуще плакала она.

— Постой, перестань реветь, я тут, я с тобой и я... я тоже, оказывается, тебя люблю. И мы должны, просто обязаны быть вместе, нам нельзя врозь, это просто немыслимо, невозможно, это абсурд... — И он уже спускал бретельки с ее плеч, но вдруг опомнился:

— Что я делаю, идиот, у тебя же тут дети...

— Нет, дети в Марокко, — обольстительно улыбнулась она и стащила с него футболку.

Да, это мой кадр... — блаженно подумала я, увидев на подушке лохматую голову Игната. Какое же это немыслимое счастье — быть с ним, смотреть на него, слышать его голос... Он такой... самый лучший... Я буквально задыхалась от нежности к нему. И то, что он примчался ни свет ни заря... И мне совершенно наплевать, как я выглядела в тот момент, и вообще, я почему-то совсем его не стесняюсь. Так странно и так хорошо...

Зазвонил телефон. Я схватила трубку и в чем мать родила выскочила на кухню. Звонила Сонька.

— Привет, подруга? Ты чего шепчешь, голос сорвала? На кого орала?

— Нет, просто...

— Нешто у тебя там кто-то спит?

— Спит! — с гордостью прошептала я.

— О! Уж не господин ли Рахманный?

— Он самый!

— Ну, подруга, поздравляю! Значит, жизнь прекрасна?

— Только если забыть о его мамаше.

— А она что, уже напомнила о себе?

— Пока, к счастью, нет.

— А он-то в курсе?

— Нет пока. Он явился в шесть утра и...

— Можешь не продолжать, и так все ясно — времени не было.

— Вот именно!

— Рада за тебя, подруга! Выходит, ты сегодня занята?

— Думаю, да.

— Ну что ж, желаю счастья!

И вдруг раздался звонок в дверь. Долгий, настойчивый, требовательный. У меня упало сердце. И тут же из комнаты выскочил Игнат в одних трусах, сонный и веселый.

— Это кто ж так трезвонит? Я сам открою, а ты хоть прикройся, бесстыдница!

Он чмокнул меня в плечо, шлепнул по заду и толкнул в комнату. А я с перепугу забыла, что на мне ничего нет. И вдруг до меня донеслось:

— Мама? Ты чего так звонишь? Что случилось?

— Так я и знала! — трагическим голосом произнесла его мамаша.

— Что ты знала?

— Что ты уже у этой твари... А матери даже не позвонил!

— Мама, ты не смеешь...

— Я все смею, если мой единственный сын... даже не поставил меня в известность, не позвонил... забыл о матери из-за этой...

Казалось, она вот-вот разрыдается.

— Мама, иди к себе, я приду через полчаса.

— Хорошо, я уйду, но запомни — тебе придется перешагнуть через мой труп, чтобы быть с этой...

И она что было сил хлопнула дверью.

Игнат остался стоять в полном ошалении.

— Лер, что это было?

— По-видимому, искреннее проявление чувств ко мне. В один прекрасный день твоя мама вдруг закатила скандал моим детям, а потом уже и мне. Видно, кто-то ей донес, что обожаемый сыночка спутался с кошмарной гулящей бабой, да еще с двумя детьми...

— А ты у меня гулящая? — спросил он таким тоном, что я сразу поняла — он на моей стороне и он меня не сдаст.

— Ага, с тобой гулящая...

Он схватил меня в объятия.

— Ладно, Лерка, перемелется все... Вот только плохо, что вы в одном доме живете... Но интересно, кто мог ее просветить?

— Да мало ли... Но, так или иначе, а твоя мама меня просто ненавидит.

— Бывает. Но мы переживем, правда же? Ну, иди ко мне, я уже соскучился.

— Игнат, ты же обещал маме.

Не говоря ни слова, он достал телефон.

— Мама, я задержусь еще на час. — И отключил телефон. — Ну, иди же ко мне, мое счастье!

— Игнат, это уж как-то чересчур, наверное... — смутилась я. — Она же еще больше меня возненавидит.

— Не волнуйся, все нормально! Когда мне стукнуло восемнадцать, я заявил маме: «Я взрослый и, чтобы ты знала, уже три года живу половой жизнью и впредь не намерен ничего скрывать. Но вмешательства в этом вопросе не потерплю».

— Вот так прямо и сказал?

— Слово в слово.

— Ни фига себе... Круто! А мама твоя что?

— А что ей оставалось? Смирилась. Правда, время от времени пытается как-то упорядочить эту сторону моей жизни. Ну, все, сейчас я тебя изнасилую!

— Ничего не имею против.

Вита Адамовна негодовала. Как это возможно, чтобы сын первым делом кинулся к той особе, даже не позвонив матери? Когда Денди забежал в соседний двор и она обнаружила там машину сына, у нее был настоящий шок. Она сразу смекнула, где он сейчас. И не ошиблась. Они оба явно только что выскочили из постели или, как теперь принято выражаться, из койки. Видно, здорово она его зацепила, эта стерва. Он никогда себе еще такого не позволял — позвонить матери и заявить «я еще часок покувыркаюсь с этой киской, а потом, так и быть, приду». Но прошло уже почти два часа! Да она же из него все соки выжмет, нимфоманка проклятая... Ненавижу!

Но тут явился Игнат.

— Ау, мама, я пришел! — бодренько крикнул он с порога.

— Надо же, какой чести я удостоилась! И тебе не стыдно?

— Ни капельки! Я уже давно большой мальчик.

— Игнат, знаешь ли, я со многим могу смириться, многое понять, но баба с двумя детьми... Тебе давно пора иметь своих детей.

— Не проблема. Родим еще.

— Что? С этой потаскухой?

— Мама, я со всей серьезностью заявляю — если я еще раз услышу оскорбления в адрес Леры, я просто прекращу с тобой общаться, как это не прискорбно. А ты меня знаешь!

Вита Адамовна потрясенно молчала. Сын крайне редко позволял себе так с нею разговаривать. А он, между тем, продолжал все тем же непререкаемо ледяным тоном.

— Разумеется, я буду давать тебе деньги, но...

— Игнат, опомнись! Я взываю к твоему разуму!

— Мама, поверь, я говорю это, находясь, что называется «в здравом уме и твердой памяти». Я люблю эту женщину и буду с ней, несмотря ни на что. В конце концов, свекровь не обязана восторгаться невесткой, но...

— Что? Невесткой? Ты уже собрался на ней жениться?

— Представь себе, мама. Она, правда, еще не согласилась...

— Ах, она еще не согласилась? Скажите, пожалуйста, какая цаца!

— Да, вот такая она у меня цаца, — каким-то незнакомым матери, воркующим голосом проговорил Игнат.

— Боже мой, но что ты в ней нашел?

— Все, мамочка, абсолютно все, о чем только мог мечтать. И, пожалуйста, на эту тему больше ни слова!

Господи помилуй, что она сейчас наговорит ему обо мне и моих детях? Но он же не станет слушать?

Машинально подошла к компьютеру. Письмо от Катьки. Наконец-то!

«Мамочка, если б ты знала, как тут здорово! И дедушка Франсуа такой клевый, добрый, веселый! Бабушка называет его «Франсик». А дом у него — вааааще! Я такое только в кино видела! Красотища, практически дворец в восточном стиле. А с каким вкусом! Он сам его строил, ну, как архитектор. Приедешь — оценишь! Но я скоро пошлю тебе фотки. А вчера мы с бабушкой ездили в город Фес. Я просто в отпаде! В этом Фесе медина — ты знаешь, наверное, что это такое — самая большая в мире! Нас по ней водила одна русская

женщина, которая там живет уже давно, тетя Инна. Она знает там все ходы и выходы, а то в этой медине ничего не стоит заблудиться. Мама, ты только представь, там все, как в кино. Узюсенькие улочки, где никакая машина не проедет, только груженые ослы и мулы ходят, того и гляди заденут тебя своей поклажей. Ты когда-нибудь видела мулов? А ослики, такие милые, некоторые совсем черные. И везде мастерские, самые разные. Мы видели и стеклодувов, и чеканщиков, и как мыло варят, тоже видели. Бабушка прямо в мастерской купила тебе какое-то специальное мыло для лица, которое не мылится. А еще сурьму, глаза подводить, в таком резном деревянном флакончике. Сурьма там, оказывается, в виде чернющего порошка и наносить ее надо палочкой, такой деревянной палочкой, которая затыкает флакончик. Я сказала, что ты не будешь, а бабушка говорит — пусть мама сперва попробует, а потом решит, будет или нет. Потом мы все жутко устали и пошли в ресторан, там же на медине. Там все сидят на диванах, с подушками. Мамочка, как же нас там кормили! Я ела мясо с черносливом, а Гришка курицу с миндалем. Вкусно — нет слов! Гришка сперва боялся, а потом все слопал и еще у меня попробовал! А потом пришел хозяин, принес фрукты и сладости, хотя мы их не заказывали, а что не доели, завернул нам с собой и предложил, если устали, прилечь прямо на диванах. И знаешь, бабушка и тетя Инна прилегли, а хозяин показывал нам с Гришкой ресторан. Водил на кухню и объяснял, что мясо для многих блюд там тушат в специальных глиняных сосудах, вроде кувшинов, иногда целую ночь, и эти сосуды называются «танжия». А подают еду в специальных тарелках с крышками в виде высокого конуса, и эта штука называется «тажин», а бабушка сказала, что в Рабате у ее знакомых есть свой ресторанчик, который так и называется «Тажин и танжия», и что она непременно нас туда сводит, там тоже очень вкусно и интересно. Но самое главное, мама, было потом. Мы опять шли по медине, и в каком-то закоулочке тетя Инна вдруг стала подниматься по крутой лестнице, мы за ней, бабушка только все ворчала, что у нее уже сил нет, но тетя Инна твердила: «Надо, Елена Павловна, надо!» Бабушка охала, стонала, но тоже лезла. И попали мы в большущий магазин кожаных изделий. Бабушка даже рассердилась. При входе каждому дали по пучку свежей мяты, чтобы отбить запах кожи, и провели к открытой галерее, а там... Мамочка, мы как будто на машине времени провалились на много веков в прошлое!!! С галереи открывался вид на огромную площадь, всю заставленную большущими чанами. Там вручную обрабатывают кожи. В этих чанах и разная краска, и какие-то еще составы. Тетя Инна сказала, что краска там только натуральная. И люди, в одних трусах, лезут в эти чаны, мнут кожи и руками и ногами, топчут, полощут... Я спросила, не опасно ли это, мне сказали, что, перед тем как лезть в чаны, люди смазываются оливковым маслом, и потом, во многих составах есть дубильные вещества, которые дубят и человеческую кожу тоже. И знаешь, мама, мы все глаз оторвать не могли от этого зрелища, мне только все казалось, что будь эти люди не в трусах, а в набедренных повязках, можно было бы снимать тут кино о древнем мире... А потом бабушка купила там нам с тобой по сумочке, очень красивой, мне желтую, тебе оранжевую, а Гришке жилетку. Он проперся! Мамулечка, тетя Инна обещала, когда ты приедешь в Марокко, обязательно показать тебе все это! Это надо видеть! Завтра дедушка Франсик обещал свозить нас в Танжер и показать место, где Атлантический океан сливается со Средиземным морем! А через неделю мы улетим в Швейцарию. Да, океан мы уже видели, но не купались, бабушка ни за что не разрешила, говорит, там холодно и вообще очень опасно. Но у них в саду есть небольшой бассейн, там и плещемся, тоже не хило. Ой, а еще мы тут были в рыбном ресторане на берегу океана и я ела устрицы! Мне жутко понравилось, а Гришка, дурачок такой, не стал даже пробовать! А как ты там, мамулечка? Сто раз тебя целую, а Гришка и бабушка сто пятьдесят (вдвоем)».

От сердца отлегло. Им там хорошо, интересно у бабушки с франко-марокканским дедушкой Франсиком. А поехать в Марокко хочется... Еще как! И хорошо бы с Игнатом... Стоп, Валерия Константиновна, спрячьте свои мечты об Игнате в дальний-дальний уголок своей глупой влюбленной души. Зазвенел телефон. Тетка.

— Лер, ты чего за морковкой не едешь?

— Ой, тетя Нина, Гришка-то уехал, а я так замоталась...

— Уехал? И куда это он, интересно знать, уехал? А Катюха? — всполошилась тетка.

— Да я же вам вроде говорила... Они вместе уехали к бабке.

— К какой еще бабке?

— К Диминой матери.

— Лер, ты там, на своем телевидении, совсем что ли рехнулась?

— Почему?

— Это куда ж они уехали? В Африку?

— Ну да, а что?

— Ты чего, газет не читаешь, телевизор не смотришь? Там же везде революции, черт-те что творится, а ты детей в этот ужас сплавила?

— Тетя Нина, не кричите так! В Марокко король, говорят очень умный, и там нет революции, это раз, а два — через неделю они все летят в Швейцарию, а там революций не бывает в принципе.

— Фу! — выдохнула тетка. — Что ж ты сразу не сказала? Значит, до осени тебе морковка не понадобится?

— Спасибо, тетя Нина, но нет. Я уж на нее и глядеть не могу!

— Ну, а сама все лето в Москве торчать будешь? Может, приехала бы на дачу, пожила маленько на свежем воздухе?

— Ох, тетя, у меня столько работы, ужас просто! И в Москве и в Киеве, вздохнуть некогда, какая дача!

— Ну, а мужика на свободе еще не захороводила? А то у меня на примете есть один, хороший, видный мужчина, аудитор на крупной фирме, не пьет, не курит, такой положительный и хочет женщину с детьми...

— Что вы, тетя Нина, я с таким положительным аудитором через три дня с тоски помру.

— Ну и дура! Много тебе веселья от твоих творческих людей? Ага, молчишь?

В дверь позвонили.

— Ой, тетя Нина, кто-то пришел!

— Какой-нибудь творческий, небось! Ну, беги, беги!

Звонок повторился. Я точно знала — это Игнат!

Это и вправду был Игнат. Карие глаза сверкали весельем.

— Лерка, я соскучился!

— Ну как, мама провела разъяснительную работу?

— Еще какую! Но я, знаешь ли, не самый послушный сын, хотя довольно почтительный. И еще ты должна знать на будущее — я человек решительный и сложные ситуации предпочитаю и стараюсь разруливать сразу, не запуская их до

неразрешимого состояния. А посему — соби-
райся!

— Куда? — обомлела я.

— За город. Нечего летом в Москве торчать!

— Игнат, но у меня же работа!

— Будешь работать за городом. На свежем
воздухе.

— Игнат, я к вам на дачу не поеду.

— Ну, начнем с того, что у нас давным-давно
нет дачи. Продали, когда отец умер. Так что тут
все в порядке. Я люблю тебя, Лерка, и увезу в
чудное место. Увидишь — ахнешь! А сейчас я
заварю нам зачуток кофейку и забацаю сказочную
яичницу, ты только выдай мне сковородку, да нет,
раза в два больше, вот, такая подойдет, а сама иди
собирай вещи, и не забудь купальник. Да, кстати,
у тебя есть красное бикини?

— Нет. А надо?

— Боже сохрани!

— Ничего не понимаю! Мало ли каких ку-
пальников у меня нету...

— Объясняю, не заставлять же любимую
женщину теряться в догадках. Мне в Корее приснился сон про тебя, плохой, и ты там была в
красном бикини. Только и всего. Быстро поцелуй
меня в нос и беги собирать вещи.

— Ты трепач, Игнат, но какой-то трепетный...

— Трепетный трепач? — расхохотался он. — А что, очень точное, я бы сказал, литературно-точное определение. Трепетный — вроде бы хорошо, но не слишком мужественно, а «трепач» вообще скорее отрицательная характеристика, но вот в сочетании это здорово, одно другое уравновешивает, смягчает. И в результате абсолютная прелесть, по-моему, получается, а?

— Полностью согласна, мой трепетный трепач! Ты абсолютная прелесть! Хотя насчет трепетности мы еще поглядим, а вот трепач ты — стопудово!

— Ну вот, начала за здравие, а кончила за упокой! — рассмеялся он. — И все равно, я люблю тебя, Лерка, а еще и уважаю, что для меня принципиально, я бы сказал, чудовищно важно, — проговорил он очень серьезно, погладил меня по щеке, а потом вдруг слегка наподдал под зад, — иди, собирай вещи и не мешай кулинарному порыву, он у меня не часто бывает.

Кажется, я никогда еще не чувствовала себя такой счастливой! Собирать вещи, чтобы ехать неведомо куда, это так весело, так молодо! Время от времени я заглядывала на кухню, где витали умопомрачительные запахи, и спрашивала:

— Игнат, а вечернее платье нужно?

— Ни на фиг!

— А резиновые сапоги?

— Ну, если только к вечернему платью, но тогда уж лучше валенки. Хотя нет, резиновые сапоги все-таки возьми, могут пригодиться.

Он готовил свою яичницу минут сорок, но у него и вправду получился кулинарный шедевр. Казалось, он вбухал туда все содержимое холодильника, и кабачок, и баклажан, и сыр, и брынзу и хлеб, и помидоры. Получилось фантастически вкусно.

— Только, чур, будем есть со сковородки! — предупредил он, когда я собралась достать тарелки. — Так в сто раз вкуснее! — и он испытующе посмотрел на меня.

— Игнат, с тобой я даже готова лакать суп из миски на полу. Но только с тобой!

Он взглянул на меня с восторгом.

— Лерка, неужели я наконец-таки нашел свою женщину?

— Женщину с двумя детьми, Игнат!

— А я это прекрасно понимаю, и при детях мы лакать из миски не станем. При них я буду почтенным отцом семейства.

— Ну, чересчур почтенным, пожалуй, не стоит, я даже разрешу тебе в мое отсутствие лакать с ними что-нибудь из миски.

— Господи, Лерка, я самый счастливый на свете трепетный трепач, который нашел свою жутко трепетную трепачку!

Вита Адамовна в окно увидела, как ее сын вышел из подъезда с большой дорожной сумкой в руках, открыл багажник своего джипа, и тут же из подъезда выпорхнула эта баба и юркнула на переднее сиденье. Игнат ткнулся лохматой головой в ее плечо и захлопнул дверцу. Обошел машину, сел за руль и был таков!

Я ее ненавижу! Кажется, никогда никого так не ненавидела! Мерзавка, настроила сына против матери и куда-то уволокла, небось, на какой-нибудь дорогущий курорт, а мой дурачок и рад стараться. Бедный мальчик, она выжмет из него все соки и бросит. И чем ему Миладочка не хороша? Ну, понятно, эта опытная, прожженная, а та чистая хорошая девочка... Но ничего, постельные девки быстро надоедают, сколько уж их у Игнаши за последние годы перебывало, ни одна не задержалась, авось и эта не задержится... Тьфу!

— Игнат, ты куда меня везешь?
— Увидишь!
— А зачем?

— Что зачем?

— Зачем мы так срочно куда-то мчимся?

— Во имя мира!

— Какого еще мира?

— Тебе нужна постоянная война с моей мамой?

— А что, все так плохо?

— Пока да, плохо. Но ты не волнуйся, я постепенно все улажу. Главное, чтобы мама остыла, а то сгоряча может такого наворотить...

— Да? А остыв, она меня полюбит?

— Это вряд ли, — засмеялся Игнат, — а тебе нужна ее любовь?

— Ну...

— А ты сама-то готова ее любить?

— Не знаю. Пока, наверное, нет.

— К тому же у тебя уже есть хорошая любящая свекровь, а две это уж слишком жирно, по-моему.

— Пожалуй, ты прав. Игнат, ты что, все это всерьез? — спросила я после некоторой паузы.

— Более чем. Я, Лерка, знаешь, в какой момент понял, что ты моя женщина, мой человек?

— Понятия не имею.

— А там, в Киеве, за завтраком с этими черничными варениками, когда ты попросила принести тебе еще кисельку. Меня как будто что-то стукнуло... Помню, я оглянулся — сидит женщина, ничего вроде бы особенного, видали и получше, но... моя, вся моя, от макушки до пяток, и лопает вареники с черникой, и так ей хорошо, так вкусно и так весело... Одним словом, я пропал, и два месяца разлуки не притупили это ощущение счастья и душевного родства... Вот вкратце тебе отчет о моих чувствах, — и он засмеялся так искренне, так нежно, а при этом он еще так очаровательно чуть кривил нижнюю губу, что можно было сойти с ума. Я и сошла... Я чувствовала себя такой счастливой, как никогда прежде, и мне было все равно, куда и зачем везет меня этот трепетный трепач. Я уже по-настоящему любила его.

Проехав больше ста километров, он затормозил у придорожного кафе.

— Пошли, тут, как ни странно, варят настоящий турецкий кофе. А то ты, смотрю, уже клюешь носом.

— Да, если я не за рулем, то в машине легко засыпаю.

— Главное, чтобы за рулем не засыпала.

— Игнат, но все-таки, куда мы едем?

— К моему другу, у него роскошный дом во Владимирской области, со всеми удобствами и даже прислугой, можно сказать, настоящее поместье. А его самого сейчас нет, приедет только через неделю. А места там райские: лес, поля, речка, озеро есть, чем не медовый месяц? А почему у тебя такое испуганное личико?

— Игнат, у меня столько работы, и, ты же знаешь, у нас график...

— Ну и что? У тебя есть комп, тоже мне проблема при современных средствах коммуникации. И вообще, я тебя люблю.

— И я... Ой, а там мобильный ловит?

— Да, а что?

— Ну, ты ж меня в буквальном смысле слова умыкнул, меня, чего доброго, объявят в розыск.

— Да ладно, найдут. Главное, что я тебя нашел.

— Это правда!

Мы подъехали к довольно высокому забору. Игнат посигналил у ворот. Они раздвинулись, и мы въехали на показавшийся мне поистине бескрайним участок. Метрах в ста пятидесяти от ворот стоял удивительно красивый дом, белый с темно-коричневыми рамами, ставнями и дверьми. Вдоль второго этажа тянулась галерея такого же темного дерева. Дом казался невероятно уютным.

Нас встретила пожилая супружеская пара.

— О, Игнат, ты кого это привез? — лукаво-приветливо спросила женщина.

— Вот, Антонина Ивановна, познакомьтесь, моя то ли еще невеста, то ли уже жена, Валерия, Лерочка. А это добрые духи этих мест Антонина Ивановна и Никодим Сергеевич.

— Игнаша, ну куда это годится, то ли невеста, то ли жена? Нехорошо, — укоризненно покачала головой Антонина Ивановна.

— Вы считаете? И вы правы! Тогда без вопросов — жена. Жутко любимая жена. Лерка, ты теперь моя жена, учти! А я твой муж. Благословите, Антонина Ивановна!

— Да что ж ты такое говоришь, безобразник! Благословлять родные должны. А так, по-простому, от себя, скажу вам, Лерочка. Золотой он парень, Игнат, вот как есть золотой. И дай вам обоим Бог всякого счастья и детишек побольше.

— А у нас уже есть двое, девочка и мальчик, — заявил Игнат.

— Игнат! — попыталась я его одернуть, но Антонина Ивановна вдруг широко улыбнулась.

— Вот и хорошо! А годочков им сколько?

— Девочке скоро тринадцать будет, а мальчонке восемь, — за меня ответил новоявленный муж.

— Вы, Лерочка, не смотрите, что он шебутной такой, из него хороший отец получится.

— Видишь, Лерка, какая у меня тут репутация, не зря я тебя сюда привез!

До сих пор молчавший Никодим Сергеевич вдруг сказал:

— Ну, мать, разбалакалась! Иди лучше делом займись! От баба, лишь бы языком молоть!

— Ох и правда, вы извините, Лерочка, но люблю я этого балабола, как сына родного люблю, уж больно душевный он парень.

И она куда-то заспешила, а Игнат достал из машины наши вещи и понес в дом. Я за ним. Господи, неужели он только сегодня спозаранок появился в моей жизни и, кажется, всерьез и надолго...

Дом внутри оказался красивым, уютным, но вовсе не роскошным, а каким-то интеллигентным. Бросалось в глаза обилие книг. Нам отвели большую комнату на втором этаже с широченной кроватью и ванной комнатой рядом. Воздух за окнами просто опьянял. Пока я разбирала вещи, Игнат куда-то исчез, но вскоре появился с букетом полевых цветов в зеленом керамическом кувшине.

— Вот, сам нарвал. Лерка, а ведь это первые цветы...

— Нет, в Киеве ты мне подарил розы.

— Да? А я не помню...

...После вкусного ужина, приготовленного Антониной Ивановной, Игнат разжег камин, открыл бутылку вина, мы сидели рядышком на диване, он обнял меня и сказал:

— Лерка, расскажи мне о детях. Мальчишечку я хотя бы видел, а девочку нет.

— Ну и задачку ты мне задал!

— А что такое?

— Да нет, собственно, ничего такого... Начну с Катьки. У нее вроде бы трудный возраст, но мне с ней легко, она мой друг и помощник, она уже человек, с твердым характером, но я знаю, что она страшно ранимая и очень страдает от того, что у нас... неполная семья.

— Теперь будет полная!

— Игнат!

— Что Игнат? Знаешь, я здорово умею ладить с детьми. Она добрая?

— Да. Очень. Но злопамятная. Отцу ничего прощать не желает. И называет его теперь только по фамилии.

— Любит, наверное... Оттого и не прощает.

— Боюсь, ты прав.

— А он скотина!

— Не спорю.

— А Гриша?

— Гришка? Он чудный, смешной, трогательный, иногда вдруг выдает какой-нибудь стишок... Недавно вдруг заявил: «Дорогая мама Лера, не грусти без кавалера!»

Игнат рассмеялся.

— Ну, теперь у тебя есть кавалер! А он зовет тебя мама Лера?

— Ну да, он же еще помнит свою родную мать.

— А отца?

— И отца.

— Ладно, с этим мы разберемся. Для Катюхи я буду просто Игнат, а для него что, папа Игнат? Мне это не нравится. Ладно, там видно будет. А вот со своим ребеночком мы годик-другой подождем. Пусть они ко мне привыкнут, полюбят, и тогда уж все вместе будем ждать пополнения семейства.

— Игнат!

— Что Игнат? Лерка, я тридцать пять лет Игнат, но никогда еще не был так по-идиотски счастлив.

— Игнат, милый, тебе кажется, что все так просто? Пришел, увидел, победил?

— А разве не так было? Пришел завтракать, увидел девушку, лопающую вареники, и сразу полюбил, и победил практически тоже сразу, разве нет?

— Меня-то победил... а вот дети...

— А спорим, я им понравлюсь?

— Очень на это надеюсь.

Опять пришло письмо от Катьки из Марокко:

«Ой, мамочка, как тут все интересно! Вчера мы ездили в Касабланку, ее тут наши, русские, между собой называют «Каза», звучит как «коза», а Рабат зовут Рабатовкой, город, хоть и столица, но совсем небольшой. А Каза мне не очень понравилась, длиннющая, вытянутая вдоль океана чуть ли не на сто километров. Мы немного там видели, особенно запомнилась недавно построенная мечеть, дивной красоты, стоит на огромной пустынной площади на берегу океана, сказка! А потом мы хотели посидеть в кафе на берегу, так там отключили электричество, кофе сделать было нельзя, согласились на мороженое с колой, и тоже почему-то не дали. Дедушка так рассердился! Бабушка предлагала пойти в другое кафе, но он уже не захотел. И мы поехали в гости к их с бабушкой друзьям, нас так здоро-

во приняли! На столе чего только не было и все такое вкусное! Я смотрю, Гришка трескает что-то странное, какие-то крохотные белые корешки, чем-то зеленым присыпанные. Я тоже попробовала, ничего, остренько. А потом хозяйка, тоже русская, Валентина, сказала, что это... маринованные мальки угрей, можешь себе представить? И Гришка тут же выдал: «Гришка ел мальки угрей, будет в пузе клубок змей!» Все так хохотали!

А вчера мы ездили в Танжер — три часа на машине. Видели место, где океан сливается со Средиземным морем. Знаешь, мам, прямо видно — океан такой серо-стальной, а море — сине-зеленое и между ними бурунчики, бурунчики... Обалдеть можно! А у нас в Рабате есть Русский культурный центр. Бабушку там все знают и очень уважают, она там частенько помогает устраивать разные спектакли. А еще там работают тетя Ира и тетя Алсу, они так поют, заслушаться можно. Там и выставки устраивают, из Москвы художников приглашают, писателей... А самый главный у них Николай Вадимович Сухов. Очень клевый дяденька! Мы когда туда пришли, он и говорит: «Привет, я товарищ Сухов, а это мой Абдулла!» Это его водителя и вправду зовут Абдулла! А Гришка не понял, он еще «Белое солнце» не смотрел, но бабушка ему показала, у нее диск есть. И вообще, тут так здорово! Но через три дня мы летим в Женеву, и, наверное, я напишу уже оттуда, тут столько дел! Целую тебя, любимая мамулечка, и Гришка тоже, и бабушка. Ой, а Гришка так загорел!»

Господи, какая же я счастливая! Моим детям хорошо, весело, а у меня Игнат...

На четвертый день мы смотались в Москву. У Игната было какое-то дело, я забрала еще кое-какие вещи, отдала ключи от квартиры соседке Агнии Львовне, чтобы поливала цветы, и вернулись. Я блаженствовала, хоть и работала не покладая рук. Но на шестой день меня вдруг стал точить какой-то страх, я сама не понимала, в чем дело. Дети благополучно добрались до Швейцарии. С Игнатом все было прекрасно, помимо всего прочего, с ним страшно интересно. Мы столько говорим обо всем на свете и, чем дальше, тем больше убеждаемся, что существуем, как говорится, на одной волне, а это так здорово...

Утром мы отправились в лес за земляникой. Ее там оказалось видимо-невидимо. С детства не собирала землянику. Боже, какое это наслаждение! Запах, вкус... Мы и сами наелись и набрали целый бидон, но я все боялась заблудиться, этот страх тоже живет во мне с детства. Но Игнат только смеялся, целовал меня и говорил:

— Не дрейфь, Лерка, у меня компас в башке.

И вправду без труда вывел меня к дому.

— Скажи, Игнат, с тобой что, можно ничего не бояться?

— Ну, разве что некоторых людей, — пожал плечами он.

Антонина Ивановна всплеснула руками при виде наших трофеев.

— Вот молодцы так молодцы! Как хорошо-то! Сегодня к вечеру Михаил Борисыч обещался с другом каким-то приехать.

Я напряглась. Игнат мгновенно это почувствовал.

— Спокуха, жена! Никто тебя не съест, даже, надеюсь, наоборот.

— Что значит наоборот? — не поняла я.

— Там видно будет, — загадочно улыбнулся он. — А вообще Мишка мировой мужик и чуть менее мировой режиссер, хоть и с мировым именем.

— А как его фамилия? — только тут догадалась поинтересоваться я.

— Званцев.

— Михаил Званцев? Но он же столько премий огреб!

— Ну, премия далеко не всегда истинный знак качества, но Мишка и вправду талантлив, хотя в последнее время грешит конъюнктурщиной.

— А ты с ним работал?

— А как же! Два фильма сделали.

— Игнат, я хочу видеть все твои фильмы!

— Да ну, еще чего...

— Игнат!

— Делать тебе нечего... Или я в ответ должен воскликнуть: «Любимая, я хочу видеть все твои сериалы!»

— С ума сошел! — рассмеялась я. — Но это же не одно и то же.

— Согласен. Ладно, постепенно посмотришь, не устраивать же специальную ретроспективу фильмов Игната Рахманного. Я еще не забронзовел. Иди лучше ко мне, вот, пощупай, я живой, теплый, еще не старый и жутко тебя люблю. А все остальное выкинь из головы. Да, кстати, давно хочу спросить... Тут нас Антонина кормит, а ты вообще-то умеешь готовить?

— Конечно, умею. Говорят даже, я очень хорошо готовлю.

— И пироги печь умеешь?

— Умею. И торты.

— А блины?

— Вот с блинами хуже. Блинчики умею, а настоящие масленичные блины нет.

— Какое счастье!

— Почему?

— Хоть один недостаток обнаружил в любимой женщине!

— Ну, если очень надо, я научусь.

— Да ну их на фиг! У меня от них всегда живот болит, и я посреди масленичного застолья обязательно вспоминаю Лескова.

— Боишься, как Пекторалис, от блинов помереть?

— Именно, сокровище мое! Пекторалиса знает!

Под вечер мы сидели на балконе, лениво перебрасываясь какими-то ничего не значащими фразами, как вдруг ворота раскрылись и на участок въехал неправдоподобно громадный внедорожник. Оттуда выскочил невысокий лысоватый мужчина, к которому сразу кинулась Антонина Ивановна. А с другой стороны неспешно вылез еще один человек, при виде которого мне стало нехорошо. Это был Лощилин.

— Лерка, ты чего так побледнела?

— Игнат, это Лощилин.

— Твой бывший? Ну и что? Ты его боишься, что ли? Зря. Я с тобой и в случае чего сразу дам ему в рыло. За мной не заржавеет.

И он так мне улыбнулся, что все страхи сразу же улетучились.

Снизу раздался громкий голос:

— Игнасио, где ты?

— Я тут! Сейчас спущусь!

— Да не один спускайся! Умираю от любопытства, не терпится взглянуть на твою избранницу!

— Потерпи еще минутку, моя избранница прихорашивается.

А я и вправду стояла перед зеркалом в спальне. До чего же мне к лицу Игнат! Я сама себя не узнавала. И плевать мне на Димку. Игнат ни за что не даст меня в обиду.

Он спустился первым, а я еще немного подвела глаза, слегка мазнула помадой губы и надела белую маечку, оттенявшую первый загар. Пусть все видят, что у Игната хороший вкус.

Я уже была внизу, как вдруг до меня донеслось:

— Лощилин? — переспросил Игнат. — Первый муж Леры?

— Первый и пока единственный, — хмыкнул Дима.

— Вот тут вы ошибаетесь, уважаемый. Вы первый, а я второй и, уверен, последний.

— Ни хрена себе, — раздался удивленный голос Званцева.

Когда я вошла в комнату, Игнат и Званцев встали, Дима же остался сидеть, но, видимо, почувствовал себя неловко и тоже поднялся.

Званцев широко улыбнулся.

— Здравствуйте, Лерочка! Вот вы какая! Теперь я понимаю, почему Игнасио буквально потерял голову. Очень рад, что мой скромный дом, ну, или не очень скромный, дал приют такой чудесной паре. Ну, как я понял, с Дмитрием вас знакомить не надо? Черт побери, какая-то водевильная ситуация, — рассмеялся он.

У Димы лицо было непроницаемым.

— Пошли, Димон, покажу тебе дом, определю на постой, а потом будем ужинать.

Дима молча кивнул, и они ушли.

— Фу, — прошептал Игнат, — неприятный тип. И что ты в нем нашла? Правда, я лучше?

— В миллион раз! — рассмеялась я. Как точно и ловко он умеет разрядить атмосферу.

— Знаешь, я завтра должен смотаться в Москву. Тебе не западло тут одной остаться?

— Зачем тебе ехать? Ты ж не собирался?

— Да позвонили, возникло одно неотложное дело. Хочешь, поедем со мной?

— Игнат, мне нужно дописать две серии, кровь из носу. Но вообще, может, нам пора отсюда съезжать? А?

— Да ну, здесь так хорошо... А Мишка пробудет в лучшем случае три дня. Не торчать же тебе в душной Москве.

— Мне душно только без тебя...

— Вот, нашла себе кондиционер! А вообще-то фразочка из твоих сериалов... — Он принялся меня целовать.

— Ох, простите, друзья мои, — раздался голос Званцева. — Я называю это магнитной стадией, когда как магнитом тянет друг к другу. Ну-с, пора за стол, вы, говорят, земляники набрали. Ох, люблю землянику!

И хотя разговор за столом был общим, я видела, что Дима напряжен и взгляд у него тяжелый. А Игнат разливался соловьем, рассказывал о Южной Корее, о фильме, который там снимал, и мне даже показалось, что его сумасшедшее обаяние подействовало даже на Лощилина.

Уже к концу ужина Званцев обратился ко мне:

— Лерочка, это правда, что вы были любимой ученицей Мильмана?

— Ну, так я сказать не могу, но Евгений Фридрихович действительно хорошо ко мне относился.

— И при этом сейчас вы пишите этот безразмерный кошмар?

— Да, так получилось, но я стараюсь и в этом найти какое-то удовольствие, к тому же у меня двое детей, так что особенно привередничать не приходится.

Лощилин вспыхнул, но промолчал.

— Ничего, — вмешался Игнат, — думаю, теперь все переменится, теперь Лера не одна...

— Лерочка, а я вот хотел вам предложить, — начал Званцев, — сделать сценарий полнометражного фильма по...

У меня сердце замерло.

— По Диминому роману «Насморк». Я хочу его ставить, и, сами понимаете, это марка и выход на совершенно иной уровень.

Игнат напрягся.

— Нет, Михаил Борисович, я польщена, спасибо, нет.

— Но почему? В конце концов, ваш бывший муж сам выдвинул эту идею, то есть с этой стороны...

— Михаил Борисович, дело вовсе не в наших отношениях с Дмитрием Сергеевичем, а в том, что мне категорически не нравится этот роман, — решительно проговорила я.

Лощилин позеленел.

— Да? — страшно удивился Званцев. — А я от него в восторге. Игнасио, а ты читал?

— Я? Нет, я к современной литературе с большим недоверием отношусь, знаете ли. Предпочитаю Лескова.

— Послушайте, Лера, а может быть это даже хорошо, что роман вам не нравится. Сценарий может получиться острым, злым, и это пойдет на пользу фильму. Вы привнесли бы туда эмоцию, которой там иной раз недостает...

— Нет, Михаил Борисович, все-таки нет.

— Лера, это неразумно! В наше время, когда катастрофически не хватает хороших сценаристов, лучшая ученица Мильмана кропает эти убогие сериалы. Игнасио, скажи ей...

— Лера, — подал вдруг голос Дима, — Миша прав, ты талантливый человек, зачем губить свой талант этой кошмарной поденщиной...

Не стоило ему этого говорить. Кровь бросилась мне в лицо.

— Помимо всего прочего, я не могу взяться за это еще и потому, что моя дочь мне этого не простит, — отчеканила я и встала из-за стола.

— Ну что ж, Лерочка, на нет, как говорится, и суда нет, — примирительно проговорил Званцев. — Сядьте, Лерочка, успокойтесь, я же был не в курсе... Дима сам назвал вашу кандидатуру...

Игнат мягко усадил меня на место.

— Не шебуршись, Лерка, — шепнул он. — Ты молодчина.

— А ты скотина!

— Ты в корне не права, я тебе потом объясню.

За земляникой с деревенским молоком все страсти как-то улеглись: мужчины заговорили о футболе. А я все пережевывала состоявшийся разговор. А ведь действительно, я могла бы сделать из «Насморка», который был явно написан обо мне, недурной сценарий и, возможно, перейти на совершенно иной уровень... и даже в какой-то момент я была уже готова согласиться, но мысль о Катьке не позволила мне этого сделать. И слава Богу! Она навсегда бы сочла меня предательницей. И как еще она отнесется к Игнату?

Ладно, сейчас еще июнь, дети вернутся к сентябрю, Игнат, скорее всего, уедет в экспедицию... Господи, как же я без него буду?

И он, словно прочитав мои мысли, нежно пожал мою руку, мол, я тут, с тобой.

Когда мы поднимались к себе, он потребовал:

— Девушка, извольте объяснить, почему это я скотина?

— Я уже не помню.

— Ты считаешь, что я должен был вмешаться?

— Да нет. По здравом размышлении...

— Мне так понравилось, как ты его отбрила. Супер. И нечего мне было лезть. А что, твоя дочка и впрямь не простила бы тебя?

— Никогда!

— Ну надо же! А скажи-ка мне, у тебя есть какой-нибудь готовый сценарий из непошедших?

— Штук пять.

— А где они у тебя?

— В компе.

— Я вернусь из Москвы, покажешь?

— Зачем?

— Дурацкий вопрос, мне интересно. И потом, у меня есть одна мечтулька — поставить фильм как режиссер. По крайней мере, попытаться.

— И кто же даст деньги на такую попытку?

— Если будет конкретный интересный материал, почему бы и нет. У меня все-таки какое-никакое имя есть. А ты бы отдала свой сценарий в мои руки?

— Игнат!

— Я знаю, ты сейчас скажешь — я отдала в твои руки всю свою жизнь...

— Ты дурак, Игнат! И именно это я хотела сказать, а вовсе не эту пошлость.

— Лерка, а ты его любила, этого Лощилина?

— Любила, еще как любила!

— А он, по-моему, до сих пор тебя любит.

— С ума сошел!

— Но ты же знаешь, какой я чуткий, я носом чую — любит. Но я также носом чую, что ты его не любишь.

— Это правда.

— Вот и славно, иди ко мне.

— Ты, значит, не ревнивый? Это хорошо.

Он задумался.

— Нет, пожалуй, не ревнивый, хотя у меня пока не было повода тебя ревновать.

— А других женщин?

— С ума сошла? Считай, ты у меня первая...

— Здрасьте, а...

— Слушай, я плохо помню, что там за бабенка была у Адама до Евы, Лилит, кажется, но началось-то все с Евы. Вот и считай, что ты моя первая и единственная, а все остальное не в счет.

Вот уж воистину — трепетный трепач!

Игнат ехал в Москву с единственной целью — поговорить с матерью. Зная ее нрав, он не слишком надеялся на успех, но, как известно, надежда умирает последней. Вчера ему в голову пришла хорошая идея, которая, если удастся ее осуществить, здорово облегчит жизнь им с Леркой и матери. Свои шансы он расценивал не слишком высоко, а потому не стал посвящать в это Леру.

Он постоял у двери, не зная, позвонить или открыть своим ключом. И решил все-таки позвонить. Ведь они с матерью расстались в состоянии войны.

Дверь ему открыла... Милада. Он просто обалдел.

— Игнаша! — обворожительно улыбнулась девушка. — Вита Адамовна, это Игнат!

— Ты что здесь делаешь? — буркнул он.

— Явился? — вышла в прихожую мать. — Ну что, прочухался? Понял, что с матерью так нельзя?

— Мама, я не стану ни о чем говорить при посторонних.

— А ты еще и хамом стал с этой девкой? Миладочка здесь не посторонняя.

— Как интересно! А как Миладочка сюда вообще попала? Причапала жаловаться мамочке, ах Игнаша, такой-сякой, обидел бедную крошку? А крошка такая чудная девочка — молоденькая, бездетная, из добропорядочной семьи, самостоятельная, чем не пара для сыночки? — уже орал Игнат. — Вы тут спелись, заговор против меня устроить решили? Игнат, дурачок, перебесится, вернется к мамочке и все сделает, как мамочка велит?

— Не смей кричать! — одернула его Вита Адамовна.

Игнат крайне редко так выходил из себя.

— Буду кричать! Хочу и буду! — он стукнул кулаком по столу. — Мама, где твои глаза? Ты что, не видишь, что это за птица? Думаешь прелестная колибри, райская птичка? Ни хрена, это настоящая пиранья...

— Пиранья, между прочим, рыба, — осторожно попыталась свести дело к шутке Милада.

— Какая хрен разница! Я, конечно, давно смекнул, что ты из себя представляешь, но что ты к моей матери за подмогой полезешь, это, доложу я вам, сюрприз! Всем сюрпризам сюрприз! А ты, мама, тебе плевать на мои чувства, на то, что я встретил главную женщину своей жизни, свою вторую половинку, тебе важно только, чтобы все было по-твоему! Так вот тебе мое последнее слово: наши отношения отныне, как это ни горько, сводятся исключительно к деньгам. Я буду каждый месяц переводить деньги тебе на книжку, если понадобится что-то еще, дай знать — я все сделаю, но общаться мы не будем до тех пор, пока ты не признаешь Леру. Тебе не надо ее любить, обойдемся, но, по крайней мере, ты не будешь плести против нее интриги, даже если к тебе явятся все бабы, которых я когда-либо трахнул! Счастливо оставаться! — и с этими словами он выскочил из квартиры. Он весь дрожал. Его миссия с треском провалилась, а он даже не успел слова о ней сказать. Вчера его посетила, как ему показалось, благая мысль — уговорить маму переехать в его квартиру на Красноармейской. Тогда они с Лерой могли бы жить вместе, не мозоля глаза ее детям, притерлись бы постепенно друг к другу, а там, глядишь, и сменяли бы две квартиры на одну большую. Не вышло, ну и ладно, обойдемся! Господи, почему люди всеми силами стараются испортить друг другу жизнь? И зачем матери нужно, чтобы тридцатипятилетний мужик, давным-

давно самостоятельный, плясал под ее дудку, тем
более что я никогда под нее не плясал? Она хотела, чтобы я стал ученым, я пошел во ВГИК. Еще
в детстве она решила учить меня музыке, а я хотел
только рисовать. Она хотела, чтобы я дружил с
Виталькой, мальчиком из семьи дипломатов, а я
дружил с отпетыми хулиганами Петькой и Гош-
кой. Ничему ее жизнь не учит и что в результате?
У меня есть моя работа, есть Лерка, а у нее что?
Дурной пес, злоба на мою Лерку и эта гадючка
Милада. Хотя после сегодняшней сцены Милада
попросту забудет о ней, как о досадном недора-
зумении. Ему даже стало жалко мать, но портить
жизнь себе и Лерке он не позволит!

Я со своим ноутбуком сидела в саду и писала.
Погода стояла чудесная. Званцев с Лощилиным
после завтрака куда-то ушли, и никто мне не ме-
шал. Работалось легко, пальцы так и летали по
клавишам. И вдруг кто-то положил руки мне на
плечи.

— Ай, — испугалась я. — Дим, ты что, спя-
тил? Так можно до смерти напугать.

— Извини, не хотел, Лер, нам надо поговорить с глазу на глаз. Сейчас самая подходящая
ситуация.

— Вообще-то я работаю.

— Ничего, наверстаешь. Ты всегда быстро писала.

— Хорошо. Говори.

Он сел за садовый столик напротив меня. Волнуется, сразу определила я. А он интересный мужик, ему идет возраст, как-то отстраненно подумала я. Он молча сверлил меня взглядом.

— Ну, чего ты молчишь? — не выдержала я. — Говори, что хотел сказать.

— Лер, у тебя с ним всерьез?

— Да, Дима, у меня с ним всерьез.

— И ты его любишь?

— Представь себе.

— Да вот как раз и не могу себе этого представить. Не пара он тебе.

— Как интересно! Тебе, конечно, лучше знать! — начала закипать я.

— Ну, со стороны-то виднее.

— Ты полагаешь? Ну, допустим. Но к чему этот разговор? Тебе-то какое до этого дело?

— У нас, между прочим, дочь.

— Ах дочь? — задохнулась я. — Этот маленький злобный звереныш?

— Признаю, был не прав. Но у всего этого есть свои причины.

— А мне плевать на причины, если у них такие следствия. Девочка отказалась носить твою фамилию, запретила мне принимать от тебя алименты и в третьем лице называет тебя только Лощилиным, просто забыла слово «папа». Вот такая тут причинно-следственная связь! Знаешь, что она сказала, когда ты ушел...

— Неважно! Это чепуха! У меня тогда был творческий кризис, и в какой-то момент показалось, что это из-за Гришки.

— Показалось? А теперь не кажется?

— Теперь я знаю точно, что совершил роковую ошибку.

— Дима, я не священник, я грехов не отпускаю. Поди в церковь, покайся, тем более сейчас это модно...

— Дело не в покаянии. Лера, как бы там ни было, но Катя наша общая дочь. Дочь умная, серьезная, с характером, это замечательно. Гриша уже большой мальчик, наверняка разумный...

— И что?

Я не понимала, куда он клонит.

— Лера, я за эти годы многого достиг, к тому же ты дружна с моей матерью...

— И что из этого? — повторила я с все возрастающим недоумением.

— Лера, давай вернемся на круги своя...

— Что? — я не поверила своим ушам.

— Я понял, что по-прежнему люблю тебя, мне плохо, тяжело без тебя...

— Ты с ума сошел!

— Нисколько. Я, напротив, что называется, вошел в ум. Со мной в последнее время черт-те что творится, я пытался анализировать это свое состояние и пришел к выводу, что дело именно в тебе. Я сам отрезал по живому и рана не зажила, загноилась и гной уходит вглубь, разъедает душу.

— Но ты на минуточку женат и Марина тебя любит.

— Откуда ты знаешь? Ах да, вы же встречались...

— И она мне очень понравилась, прелестная женщина.

— Да, она хорошая, славная, но я не люблю ее. Я тебя люблю, вот в чем беда.

— Но я-то тебя больше не люблю. Моя рана зажила довольно быстро. Все твое поведение этому способствовало.

— Неправда.

— Это правда, Димочка. Я люблю Игната, он моя вторая половинка, так что забудь эти бредни. В тебе просто говорит инстинкт самца-собственника, как это она могла променять меня на...

— Чепуха! А ты хоть поняла, что «Насморк» это о тебе?

— Конечно, поняла, и все-таки роман мне совершенно не понравился. И ты мне тоже не нравишься, Дима. Ты холодный, рассудочный, как и твои книги. Мне холодно с тобой, Дима.

— О, я так могу тебя согреть!

— И не мечтай!

— Послушай, Лера, ты меня знаешь...

— Увы.

— Ты прекрасно знаешь, я умею добиваться поставленной цели. А я поставил себе цель...

— Дим, прекрати, меня уже тошнит.

— Если б ты знала, как меня тошнит, когда ты вечером уходишь наверх с этим своим. И я точно знаю, что вы там делаете... Меня колотит от ревности, я же знаю, какая ты бываешь в эти минуты, и я хочу тебя как в наши первые дни...

— Замолчи!

— Лера, людям свойственно ошибаться, я роковым образом ошибся, так имей же снисхождение...

— Ты чудовищно непоследователен, Дима! В прессе ты назвал ошибкой наш брак, теперь называешь ошибкой наш развод, но это все проблемы твоего сознания, ко мне это уже никоим образом не относится. И вообще, шел бы ты отсюда, я устала, а мне нужно работать.

— Ну что ж, я пойду. Ответь мне только на один вопрос и я ухожу.

— Валяй!

— Тебе хорошо с ним в постели?

Я посмотрела на него и усмехнулась про себя.

— Помнишь, у Пугачевой есть песня «За это можно все отдать!»? Я ответила. Ступай с Богом.

— Мы еще вернемся к этому разговору, точка еще не поставлена, тем более ответ на последний вопрос пролил свет на кое-какие обстоятельства...

И он удалился с загадочной улыбкой. А я поняла, что просто не могу его выносить. Он такой тяжелый человек. И тут же зазвонил телефон. Соня.

— Подруга, что за дела? Куда ты запропастилась? Загуляла с Рахманным на полную катушку?

— Да, Сонечка! Вообще-то очень-очень надо повидаться, поболтать...

— Вот и я о том же! У меня тоже новости — офигеть. Итак, когда и где?

— Да я не в Москве!

— А где же? Не на Бали случайно?

— Ближе. Во Владимирской области.

— О! В глуши! И что ты там делаешь?

— Видишь ли, мамаша Игната встала на дыбы и он увез меня на дачу Званцева.

— Фу ты, ну ты, значит, сегодня никак?

— Никак.

— Тогда слушай, и это не просьба, а категорический императив — в субботу у меня день рождения. Вы с Рахманным приглашены и никакие отговорки не принимаются, тем более что приехала моя двоюродная сестра из Одессы, стол будет просто сумасшедший!

— Заманчиво... Лучше чем в Одессе, по-моему, нигде не готовят. А народу много ждешь?

— Человек десять-двенадцать. Между прочим, увидишь мужчину моей жизни и крайне удивишься. А я жажду увидеть мужчину твоей жизни!

— Ладно, Сонь, я ужасно хочу приехать. Надеюсь, удастся уговорить Игната.

— И я очень на это надеюсь. Чао, подруга!

Игнат вернулся довольно поздно, усталый и недовольный.

— Что с тобой?

— Просто устал. Жрать хочу, по тебе смертельно соскучился. Как ты тут без меня?

— Без тебя мне тут кисло.

Он взял в ладони мое лицо, внимательно посмотрел в глаза.

— Он к тебе приставал?

— Только с разговорами.

— Предлагал вернуться?

— Да. А я люблю одного дурака-оператора.

— Я и вправду дурак, Лерка. Заехал к маме, а там...

— Брось, Игнат. У меня три комнаты, чтож мы там не поместимся вчетвером? Ерунда. Одна комната нам с тобой, и по одной детям. Ну, а аппаратуру оставишь в своей квартире. Вот и вся недолга. А если Вита Адамовна будет недовольна... Что ж, соседи часто друг другом недовольны. Да к тому же ты месяцами торчишь в экспедициях. Не страшно. Прорвемся, мой хороший!

— Думаешь?

— Уверена! И поверь, это лучше, чем посягать на мамину квартиру...

— Значит, хорошо, что я не успел ничего сказать об обмене? Постой, но я же тебе тоже ничего не говорил... Откуда?

— Догадалась, как только ты сказал, что был у мамы.

— Господи, Лерка, как мне повезло с тобой. Ты еще и умная! Надо же, никогда не думал, что умная женщина это так приятно.

— Игнат, а что ты делаешь в субботу?

— В субботу? Да вроде никаких планов... А что?

— В субботу у Соньки день рождения. Я давно хочу вас познакомить. Там приехала ее двоюродная сестра из Одессы...

— Следовательно, будут одесские яства? Едем, Лерка! Мне тоже охота куда-нибудь с тобой выйти. А переночуем у меня, ты ж еще у меня не была, куда это годится? Знаешь, я сегодня по дороге вдруг сообразил, что мы с тобой вместе практически без году неделя, а роднее и ближе тебя у меня никого нет и никогда не было и я жажду познакомиться с твоими ребятками, может, махнем через недельку к ним в Швейцарию?

— Да нет, не стоит.

— Почему?

— Пусть отдыхают спокойно. А то мы ввалимся и весь отдых насмарку.

— Да почему?

— Потому что они начнут думать, как теперь будет в Москве, с этим новым дядькой, и, чего доброго, еще захотят вообще остаться с бабкой.

— Ну ни хрена себе! Да, возможно, ты и права...

Снизу раздался веселый голос Званцева.

— Эй, молодежь, ужинать идите! У нас сегодня пельмени!

Мы ужинали, как уже повелось, вчетвером.

— Лерочка, дорогая, умоляю о помощи! — сказал посреди ужина Званцев.

— О какой, Михаил Борисович?

— Посоветуйте, что подарить на день рождения мужику сорока лет, но, разумеется, не роллекс и не мерс. Что-то достойное и не слишком дорогое.

— А кто этот человек?

— Врач, красивый малый, хочет выглядеть респектабельно, а я, честно сказать, в растерянности. Может, дама что-то присоветует?

— Присоветую. Туалетную воду «Иссие Мияки-спорт».

— Почему именно эту?

— Просто потому, что мне она безумно нравится. Я как-то услышала этот запах в лифте и сказала себе — за мужчиной, который так пахнет, пойду на край света.

— Ты полегче, Лерка!

— Ты же не дал мне договорить. Потом я встретила одного хорошего знакомого, у него был этот парфюм и сам он был вполне привлекателен, но идти за ним на край света совершенно не хотелось. Парадокс, да?

Все рассмеялись.

Потом, уже в спальне, Игнат вдруг сказал:

— Держу пари, Лощилин завтра же купит этот парфюм.

— Ему это не поможет.

— А мне его не стоит купить?

— Тебе? Ни в коем случае.

— Почему?

— Потому что тогда я уже окончательно рехнусь!

— А сейчас еще не окончательно рехнулась?

— Нет. Еще сохраняю жалкие остатки разума.

— Да? И что они тебе говорят, эти жалкие остатки?

— Что не нужен тебе этот парфюм. И так хорош.

Утром Дима простился со всеми и уехал, сославшись на неотложные дела.

— Тяжелый человек, — покачал головой Званцев, — но талантлив, черт его побери! Я так и вижу этот фильм по «Насморку». Игнасио, вот если б ты еще согласился его снять... Такое марево, такая игра теней...

— Короче, все должно тонуть в соплях? — хмыкнул Игнат. — Я, конечно, могу... Такие сопли разведу, мир ахнет. Но не буду... Ну его, с его соплями.

— Да ты прочел бы, классный же роман. И вы, Лерочка, зря отказались.

— Миш, отвяжись. Не желаем мы иметь дело с этим типом. А я вот тут вчера прочел один Леркин сценарий...

— Как? Где? — ахнула я.

— Ну как... Ты спала, а я открыл твой комп, у тебя там все совсем бесхитростно, так что нашел без проблем. И скажу я тебе, Мишка, вот это класс! И снимать его буду я, не только как оператор, но и как режиссер. И это будет бомба, не чета сопливым изыскам этого мрачного мудака! Лерка у меня такая талантливая девочка! — и он обнял меня, поцеловал в щеку. — Мы с ней еще столько премий огребем!

— Игнат, а что именно ты прочел? — всполошилась я.

— «Черное кружево пошлости».

— Какое интересное название, — задумчиво произнес Званцев. — Но ни один продюсер на него не согласится.

— Ты не прав, друг мой! Это суперское название, на него определенно клюнет зритель, причем разный...

— «Черное кружево пошлости», — словно пробуя на вкус, повторил Званцев. — А, пожалуй, ты прав... Это будет любопытно. Друзья, дайте прочесть, умоляю!

— Ага, и ты сразу захочешь лапу наложить. Чур, я первый!

— Игнасио, ты чересчур горячий парень, хоть и гений. Пораскинь мозгами, если Лерочкин сценарий и впрямь так хорош, то твое и мое имя гарантируют внимание и хорошее отношение продюсеров, а потом и критики. А твой эксперимент вряд ли. Поэтому давайте-ка, Лера, гоните ваше «Кружево», а там поглядим, что к чему.

— Лера, а ведь он прав, собака! В такой двойной упаковке «Званцев—Рахманный» ты прозвучишь лучше и громче. И ради такого дела я готов пожертвовать своим режиссерским дебютом.

У меня голова шла кругом. Неужели такое возможно?

— Но ты же хотел сам... И не надо жертв... — нерешительно начала я.

— А я не упертый! И Мишка хорошо знает, что говорит.

— Но ведь Михаилу Борисовичу сценарий может не понравиться...

— Ну, это вряд ли, дорогая вы моя! У Игнасио на этот счет вкус безошибочный. Сбросьте мне на почту, я за час прочту.

— А как же «Насморк»? — полюбопытствовала я.

— А там еще нет ни сценария, ни даже кандидатуры сценариста, а сам Лощилин писать не хочет. Все своим чередом.

Я представила себе, как обозлится Димка, если я обскочу его на этом этапе. Ну и пусть, так ему и надо!

За окнами швейцарского шале с утра лил дождь. А в доме было тепло и уютно. Дедушка Франсуа учил Гришку играть в нарды, и надо сказать, что Гришка делал большие успехи, чем заслужил похвалу новоявленного деда, в котором уже души не чаял. А на кухне Елена Павловна учила Катьку печь яблочный штрудель.

— Смотри, Катюшка, это тесто теперь надо хорошенько отбить. Берешь его вот так и изо всех сил колотишь об стол, вот-вот, правильно, даже еще сильнее, и так минут пять. А потом кладешь на тарелку и закрываешь горячей миской или кастрюлькой. Десять минут полежит и станет мягким, эластичным, его легко будет раскатать тоненько-тоненько. А пока почисти яблоки, хотя нет, я сама почищу.

— Почему это? — возмутилась Катька. — Ты боишься, что я порежусь? Бабуля, я ж не маленькая, ты забыла?

— Для меня ты все равно маленькая, но яблоки и вправду уже почистить можешь, — засмеялась Елена Павловна.

— Знаешь, баб, а я даже рада, что сегодня такой дождь и не надо никуда мчаться. У меня уже от впечатлений голова трескается. Я вот из Марокко писала маме подробные письма, обо всем рассказывала, а сейчас даже не знаю, о чем писать, каша в голове.

— Что, совсем я вас загнала?

— Есть немножко.

— Отлично, тогда дней пять отдыхаем, никуда не ездим, решено!

— Спасибо, бабуль!

— Ну вот, доставай тесто, дели на две части, бери вторую скалку и раскатывай как я. И тяни, тяни, чтобы как можно тоньше получилось. Молодец! У тебя просто замечательно выходит, даже лучше, чем у меня.

— Бабуль, а давай мы маме не станем говорить, что я учусь готовить. Представляешь, мама вечером приходит, а на столе шикарный ужин, допустим, мясо по-мароккански и яблочный штрудель! Как? Откуда? Бабушка приехала? А я так скромненько — нет, мамочка, это я сама приготовила! Вот мама удивится! Такой кайф!

— Согласна, это будет кайф! А Григорий не проболтается?

— Нет, он хоть и маленький, но умеет держать язык за зубами.

— Он вообще золотой мальчишечка. Франсуа говорит, что у него замечательные математические способности.

— Бабуль, там, кажется, кто-то приехал. Вроде на такси.

— К нам?

— Да. Мужик какой-то. Ты никого не ждешь?

— Нет. Может, кто-то ошибся адресом?

В этот момент раздался звонок.

— Я открою, — сказала Елена Павловна, вытирая испачканные в муке руки. Она нажала кнопку домофона, и на дисплее появилась мужская фигура под большим зонтом.

— Алло, вы к кому? — по-французски спросила Елена Павловна.

— Мама, открой, это я, Дима!

— Бабушка, не надо, не открывай! — испуганно крикнула Катька.

— Как я могу! — воскликнула тоже испуганная Елена Павловна и открыла калитку. Какого черта он сюда явился? Уж не случилось ли что-то с Лерой?

— Мама, здравствуй! Не ждала?

— Господи, Дима, ты почему не предупредил? Ну, заходи же, зонт поставь вот тут, снимай ботинки, повесь плащ на плечики, — бормотала Елена Павловна в полной растерянности. Катька куда-то скрылась.

— Ну что, мама, ты совсем не рада меня видеть? А я был в Женеве по делам и вот решил заехать, проведать тебя и Катюшку. Погода, правда, подгуляла. Ну, как вы тут?

— Дима, скажи ради бога, с Лерой все в порядке?

— С Лерой? О да, Лера в полном порядке, крутит безумный роман, вроде даже замуж собирается.

У Катьки, слышавшей все это, упало сердце. Мама собирается замуж... Лощилин примчался сюда... Зачем? Как все странно и даже страшно...

— Ну что ж ты стоишь в прихожей? Проходи в гостиную. Катя, Катюша, поди сюда! Катя, я же знаю, что ты меня слышишь! Иди сюда!

Когда Катька вошла в комнату, Лощилин ахнул. Это была на редкость хорошенькая девочка, почти уже девушка, с серьезным и даже хмурым лицом. Светло-русые волосы, большие серые глаза, чудесный загар, одним словом прелесть, что за девочка.

— Катюха, какая ты большая стала, совсем, можно сказать, барышня и красивая какая...

— Здравствуйте! — сделала книксен Катька. Сроду она книксенов не делала и никто ее этому не учил. Как-то само получилось.

— Катюха, ну что ты как неродная? Ну, прости ты меня за то идиотское интервью. Думаешь, я не понимаю, каково тебе было это читать? Все осознал, раскаялся, и вот, приехал просить прощения.

Она смерила его совершенно холодным взглядом, тихо бросила:

— Бог простит!

И быстро вышла из комнаты.

— Мама, ты это видела? — ахнул Лощилин.

— А чего ты, собственно, ждал?

— Выходит, не так уж я был далек от истины, давая то интервью? Это ужасно!

— Димочка, а ты ведь даже не спросил про Гришу, он Катин брат, она его обожает и не понимает, чего ты вдруг явился просить прощения...

Сказать по правде, я тоже не очень понимаю. И не очень верю в искреннее раскаяние.

— Знаешь, мама, со мной в последнее время стало происходить что-то ужасное, какие-то приступы слепого бешенства, мне стало как-то трудно и душно жить и я... Но это не о том... Знаешь, мне тут недавно предложили продать права на экранизацию «Насморка», он ведь написан о Лере, и я подумал, что она могла бы сделать по нему сценарий... Но она категорически отказалась... И в связи с этим меня позвал в гости в свой загородный дом Мишка Званцев и там я встретил Леру с ее хахалем. И до меня вдруг дошло: все мои проблемы, все трудности, все приступы бешенства — из-за нее, из-за того, что я все еще люблю ее и только ее...

— А как же Марина?

— А что Марина? Она оказалась умнее меня, она давно мне сказала: «Ты бесишься оттого, что не можешь забыть Леру».

У Елены Павловны заболело сердце. Ей было безумно жаль сына. Что же он должен был пережить, чтобы пойти на такое, по его представлениям, неслыханное унижение — просить прощения у девочки, он, который вообще никогда не умел просить прощения, даже в раннем детстве?

— Димочка, а ты Лере об этом сказал? — осторожно спросила она.

— Сказал, мама, сказал.

— А она что?

— О, она мне такого наговорила... Я просил ее вернуться ко мне... А знаешь, что она заявила, когда даже не я, а Миша Званцев стал уговаривать ее сделать сценарий по «Насморку»? Она рассмеялась мне в лицо и сказала, что дочка сочтет это предательством и никогда ее не простит, что она даже не желает носить мою фамилию... — Он сжал голову ладонями. — Мама, за что мне все это?

Елена Павловна погладила сына по коротко стриженным седеющим волосам.

— За недоброту твою, Димочка. Что ты там нагородил в интервью, это конечно, пакость, но, главное, ты не принял Гришеньку. Это же сын Лериной сестры, которую Лерочка всем сердцем любила. Не могла она бросить ребенка на произвол судьбы, это было бы бесчеловечно, Дима. Так чего же ты теперь хочешь?

— Хочу вернуть Леру.

— Боюсь, это уже невозможно, Димочка. Смирись и не ломай жизнь еще и Марине. Она же тебя любит. И постарайся все-таки наладить отношения с Катюшкой, хоть это будет ох как непросто... Ты к нам надолго?

— Если не прогоните, дня на два.

— Как я могу прогнать собственного сына? Но ты должен подружиться с Гришей.

— Мама, я не умею с детьми...

— Когда-то ты очень даже умел возиться с Катюшкой.

— Я не умею с чужими детьми, мама.

— Ну вот что, тогда лучше уезжай, пока опять не наломал дров.

— Мама, а ты Гришку тоже любишь?

— Я его очень люблю. Это такой чудесный ребенок.

— Послушай, мама, а что если...

— Димочка, мальчик мой бедный, ты хотел сказать: а что если Гриша останется у тебя, а Лера с Катюшкой ко мне вернутся? Так?

— Вот что значит мать... Именно об этом я и хотел спросить.

— Неужто ты так наивен, Дима, если не сказать, глуп? Это же абсурд!

— Но почему?

— Послушай, модный писатель, — рассердилась вдруг Елена Павловна, — тебе уже пятый десяток, и ты так эмоционально туп, что не понимаешь в своем эгоизме самых простых вещей?

А ты вообще знаешь, что есть такая штука, как любовь? Не секс, не влечение, а просто любовь к ближнему, самопожертвование, наконец? Для тебя всю жизнь важнее твоего «я» ничего не было и по сей день нет. Ты, в угоду своему настроению, походя, ломаешь людские судьбы. Ты о Лере годами не вспоминал, а тут увидел ее с другим и...

— Нет, нет, мама, все не так! — Он вскочил и забегал по комнате. — Все совсем не так! Ее я любил по-настоящему и она меня тоже... Я все осознал и хочу вернуть ее, а она... Она смеется.

— Послушай, а кто этот ее новый кавалер?

— Киношник, оператор, эдакий обаяшка, рот до ушей, словом, пустое место, на мой взгляд. Знаешь, я просто сходил с ума от боли при мысли, что вот сейчас она ляжет с ним в постель...

Как же его припекло, если он так со мной разоткровенничался, бедный мальчик, с грустью думала Елена Павловна. И ничего у него с Лерой не выйдет, и, наверное, слава Богу. Он совсем не умеет любить, не дано ему. Вот поэтому его книги так холодны и рассудочны, хотя и мастеровито написаны.

К счастью, дверь распахнулась и в комнату вошел Франсуа.

— Элен, ты не хочешь познакомить меня с твоим сыном?

...— Кать, это твой папа?

— Ага.

— А он зачем приехал? За мной?

— За тобой? Еще чего! На фиг ты ему сдался?

— Я думал, он хочет сдать меня в детский дом, а тебя забрать к себе...

— Гришка, ты совсем, что ли, дурак? Какой детский дом? — рыдала Катька, прижимая к себе братишку. — Даже не думай об этом. Он на тебя вообще никаких прав не имеет, ты по закону мамин сын, она тебя одна усыновила, а этот... Он просто к своей маме приехал, он же бабушкин сын.

— И он с нами ничего не сделает?

— Да кто ж ему позволит!

— А тебя он зачем звал?

— Прощения просил.

— За что?

— Есть за что.

— А ты простила?

— Бог простит.

— А что это значит?

— А это, Гришка, если ты просишь прощения, а тебе отвечают «Бог простит», значит, тебя не простили. Понял?

— Понял. А когда он уедет?

— Не знаю.

— А бабушка знает?

— Думаю, и бабушка пока не знает.

Но тут раздался голос Елены Павловны:

— Катя, поди сюда, папа уезжает!

— Ура! — шепотом воскликнул Гришка.

В комнате, кроме отца, никого не было.

— Катюха, родная моя, я знаю, ты пока не простила меня, и наверное, это естественная плата за ту боль, что я тебе причинил. Поверь, мне сейчас тоже больно. Чудовищно больно... Я весь — сплошная боль. Я наделал глупостей, обидел близких людей, но я ничего этого не осознавал, я был одержим только своим призванием, ты уже большая и наверное понимаешь, что это такое... Но теперь пришло прозрение и я понял, что по-прежнему люблю твою маму и тебя и, вероятно, смогу полюбить Гришку... Я очень изменился, Катя! И больше всего на свете хочу вернуть вас всех... Скажи, только честно, ты бы этого хотела?

— А мама? Мама этого хочет? — очень жестко спросила Катя.

— В глубине души, возможно, и хочет, но у нее сейчас бурный роман, она, кажется, собирается замуж... Ты об этом знаешь?

— Нет.

— Вот видишь! Она даже не поставила тебя в известность.

— Так, может, она еще ничего не решила, зачем раньше времени звонить об этом и портить детям каникулы?

— Да нет, она о вас и не думает, у нее, как говорится, совсем крышу снесло. Сбагрила вас бабушке и пустилась во все тяжкие... И, может статься, к осени вообще надумает оставить вас у бабушки.

— Извините, я не понимаю, — перебила его Катя.

— Почему ты со мной на «вы», Катюха? Побойся Бога!

— Я его и так боюсь, но я не понимаю.

— Чего ты не понимаешь?

— Вы хотите вернуть маму и в то же время говорите о ней такие гадости! Да никогда в жизни мама нас никому не сбагрит! Она нас по-настоящему любит. А если сейчас ей там хорошо, то в конце концов она тоже имеет право на каникулы и на... секс!

Лощилин позеленел.

— Да! С такой бабушкой и такой мамашей из тебя тоже шлюха вырастет!

И он выбежал из дома, хлопнув дверью.

А Катя разревелась.

— Катюшенька, милая, что? Что он тебе сказал? — бросилась к внучке Елена Павловна.

— Он сказал, что... из меня тоже шлюха вырастет с такой бабушкой и матерью...

Елена Павловна рассмеялась и осенила себя крестным знамением.

— Ну, слава Богу, я опять узнаю своего сына.

Пришло письмо от Катюхи:

«Мамочка, дорогая моя мамочка! Ты зря волнуешься, у нас все замечательно, только вот погода подкачала, уже несколько дней льют дожди и мы никуда не ездим, бабушка боится ездить по мокрым дорогам с нами. Но мы не скучаем! Гришка с дедушкой режутся в нарды и очень много разговаривают обо всем. Дедушка считает, что его необходимо отдать в специальную математическую школу, а бабушка уверяет, что еще рано. А мы с бабушкой знаешь чем занимаемся? Смотрим старые фильмы и это такой кайф! Бабушка хочет, чтобы я знала хоть что-то о прошлом, а то, она говорит, нынешней молодежи кажется, что до них ничего не было... Но мне здорово это интерес-

но! Они вообще такие классные, бабушка и дедушка! И еще я отдыхаю от впечатлений, а то в голове уже каша образовалась. Но как только погода наладится, бабушка обещала повезти нас в Париж, можешь себе представить? Короче, мамуля, у нас все здорово, ты не беспокойся! А как твои дела? Работы много? Кстати, если будут какие-нибудь вопросы, пиши! Ты же знаешь, я иногда могу помочь! Целую тебя, мамочка, и все остальные тоже! Дедушка жаждет с тобой познакомиться, он говорит, женщина, которая воспитала таких прекрасных детей, заслуживает внимания! Все, мамуль, писать вроде больше не о чем!»

Ну и слава богу! Им хорошо, значит и мне тоже. Честно говоря, я боялась какого-то демарша с Диминой стороны, но пока Бог миловал! Я закончила свою часть «Фамильного браслета» и теперь вплотную занимаюсь киевским проектом. Зимятов звонил, приглашал на встречу по поводу нового проекта, подтвердил свое намерение сделать меня ведущим сценаристом, но Игнат категорически мне это запретил.

— Не сходи с ума, Лерка! Ты загубишь свой талант на этой фигне, ты просто не имеешь права

на это! И ни слова о деньгах и детях! А я на что?
Учти, Лерка, со мной ты попала в другую категорию. И тысячу раз прав Мишка, говоря, что в двойной упаковке «Званцев—Рахманный» ты прозвучишь куда громче... А он просто влюблен в твой сценарий. Говорит, там есть все, что нужно для хорошего кино! Но это пока секрет, он только мне это сказал, даже тебе не велел говорить, сглазить боится. Но не могу же я тебе не сказать...

— Господи, Игнат... Неужто такое возможно?

— Возможно в этой жизни все, моя радость! Разве мог я представить себе, что встречу такую женщину?

— Какую такую?

Он помолчал, глядя на меня даже с какой-то грустью, и тихо сказал:

— Насквозь родную.

Но как бы там ни было, а киевский проект никуда не девался, и хотя Игнат требовал, чтобы я отказалась, я твердо заявила, что привыкла выполнять взятые на себя обязательства. И я сидела за компьютером, пока в глазах не начинало рябить. Я решительно выключила его и спустилась вниз. До меня донесся голос Званцева:

— Смотрю я на тебя, Игнасио, и не могу нарадоваться.

— А что такое ты во мне обнаружил? — засмеялся Игнат.

— Абсолютно, до идиотизма, счастливого мужика.

— Это правда, Мишка. Я счастлив... А я уже не надеялся. После Стэллы мне казалось, мир рухнул...

Я замерла.

— Да, ты после той истории был, что называется, сам не свой. Желчный, раздражительный... Хотя баб у тебя было без счета...

— Да, но душа как будто умерла. А вот увидел Лерку и все... Как не было этих лет, этой боли... Понимаешь, я когда увидал Стэллу, это был шок... Но, как я сегодня понимаю, шок скорее... эстетический, что ли... Она была само совершенство. Я преклонился перед красотой и мне на все остальное было наплевать, а она была в сущности примитивной и даже скучной бабенкой, которая на своей красоте жаждала сделать капитал... А вот увидел Лерку, и опять испытал шок, но уже душевный, понимаешь? Она чудесный человек, моя Лерка... И женщина восхитительная, хотя до Стэллы ей как до царя небесного, но я поумнел. Хоть тут и нелегко все. Ее дети, моя маменька...

но это все преодолимо... По крайней мере мне так кажется.

— Да, она милая, твоя Лера и, по-моему, у нее есть совершенно неоценимое качество для бабы — она не ноет. Ненавижу вечно ноющих баб. Два раза был женат и обе ныли, не переставая.

— Да, Лерка вообще не ноет! Ведь она тащила двоих детей, этот Лощилин, сука, давал ей какие-то гроши, а потом она и от них отказалась, просто впряглась в работу и даже находила в этом дерьме какое-то удовольствие.

— Да, Игнасио, свезло тебе.

— И не говори!

— А как тебе кажется, Морозов согласится на этот вариант?

Они заговорили о чем-то другом. А я сказала себе: Лерка, заруби себе на носу — никогда не ныть, как бы иной раз ни хотелось.

В субботу утром мы с Игнатом поехали в Москву. Его квартира мне понравилась. Хотя он предупредил меня:

— Лерка, тебе там могут попасться на глаза какие-нибудь следы былых баб. Ты ж понимаешь, я не святой. Но все это было до вареников с черникой! Поэтому не бери в голову, не расстраивайся, и ничего такого не думай! И выбрасывай все к чертям!

— Договорились!

Но на первый взгляд ничего такого заметно не было.

На письменном столе стояла большая фотография: Игнат и еще какой-то парень, держат в руках статуэтку «Ники». Игнат там совсем молодой и без бороды. А на щеках такие ямочки, что только с ума сойти.

— Игнат! Зачем ты бороду носишь?

— А что, тебе не нравится?

— Я вот смотрю на этот снимок...

— Это мы с Володей Ганшиным. Моя первая «Ника»!

— У тебя тут такие ямочки... А ты их бородой закрываешь.

— Понимаешь, бриться лень.

— А ямочки?

— Тебе нужны мои ямочки?

— Мне все твое нужно...

— Хочешь, я побреюсь?

— И будешь каждое утро ворчать, что тебе лень бриться?

— А как же! Непременно буду!

— Ладно, я буду просто представлять себе тебя с этими ямочками... Да, пожалуй, не стоит бриться. Ты с этими ямочками просто неотразим, я буду тебя ко всем ревновать... Хотя, один раз тебе все-таки придется побриться.

— На свадьбу, что ли?

— На какую еще свадьбу?

— Что значит на какую? На нашу свадьбу. Мы же должны пожениться. Или ты не хочешь?

— Да нет, пожалуй, хочу... Но я имела в виду другой случай. Я хочу, чтобы дети увидали тебя с этими ямочками.

— Дуреха моя! Разве в ямочках дело? Ты же вот влюбилась в меня без ямочек?

— Я, видимо, интуитивно их почувствовала.

— Господи, Лерка, как мне нравится пороть с тобой всякую чушь! Да, а ты же собиралась покупать еще подарок для своей Сони.

— Да, сейчас поеду.

— Что значит, поеду? На чем?

— На метро.

— Еще чего! Я тебя отвезу, у меня сегодня никаких дел, заодно потом пообедаем в городе.

— Мне еще надо домой заехать, взять платье, туфли... И лучше, чтобы твоей машины там не было.

— Чепуха! Я прятаться не собираюсь. Я, кстати, думал заглянуть к маме, может, она уже одумалась.

— Ну что ж... Хотя вряд ли так быстро.

— А мы поглядим. А на нет, и суда нет.

В подарок Соне я купила туалетную воду, предварительно спросив у нее, чего она хочет. Так что с этой задачей мы справились быстро. Пока я выбирала еще себе тушь для ресниц, Игнат куда-то отошел. И я обнаружила его у витрины с маркой Иссие Мияке. Он нюхал пресловутый парфюм.

— Игнат, ты что?

— А правда классный запах! А представляешь, я побреюсь, надушусь этим парфюмом и...

— И тогда я просто умру от восторга!

— Девушка, я покупаю это! — заявил он продавщице, которая завороженно смотрела на него. — И то, что выбрала моя жена.

Девушка как-то сникла.

— Катюша, что пишет мама? — поинтересовалась Елена Павловна.

— Да она все больше вопросы задает, как мы тут и вообще...

— А ты ей писала, что папа приезжал?

— Нет. А надо было?

— Думаю, нет. Зачем ее пугать?

— Бабуль, а как ты думаешь, он... ничего не сделает нам или маме?

— Ты о чем, детка? Что он может сделать? Ну устроит в худшем случае скандал маме, но это не так уж страшно.

— Но противно.

— Пожалуй! — улыбнулась Елена Павловна и потрепала внучку по пушистым волосам. — Но мама твоя сильная, переживет. И ты в нее, тоже сильная... Молодец! Будем надеяться, что мама и не узнает. А если узнает потом, то это уже не взволнует ее так, как взволновало бы сейчас, когда вы далеко. Знаешь, мы с Франсуа решили, что поедем во Францию на поезде, а не на машине. Слишком утомительно.

— Да? Здорово! На поезде интересней, я люблю на поезде... Бабуль, а в Диснейленд поедем?

— О, только без меня! Я этого не выдержу, а Франсик обожает такие штуки, вот с ним и поедете.

— Бабуля, а знаешь, хорошо, что... Лощилин дал то интервью.

Елена Павловна вытаращила глаза.

— Это почему же?

— Ну, ты могла бы еще долго не приехать к нам...

— Катерина, ты мое чудо! Это ж надо так повернуть! Умница, золото мое! А мы-то с Франсуа как счастливы, что у нас такие внуки... Нет, это надо же, как сообразила...

Катькин компьютер звякнул, извещая о приходе письма.

— От мамы? — спросила Елена Павловна.

— Нет, от подружки.

— Ну, читай, читай!

И Елена Павловна вышла из комнаты, спеша поделиться с мужем Катькиным умозаключением. А подруга Даша, живущая в том же подъезде, писала следующее:

«Катюха, привет! Ты где сейчас, в Марокко или уже в Европе? Мы с мамой на днях вернулись из Хорватии, там такой кайф, просто улетный! Я там встретила одного парня из Германии. Он, правда, тоже русский, ему уже четырнадцать, мы с ним познакомились, когда играли в теннис, он классно играет. И вообще там были такие мощные тусы! Расскажу при встрече. А у нас тут новости, они тебя каса-

ются. Ты, может, в курсе, но у нас весь подъезд гудит! Твоя мама закрутила дикий роман с сыном той тетки с собакой, которая на тебя вызверилась, помнишь? Теперь понятно почему! Она противная, а сын у нее очень клевый. Он, оказывается, знаменитый кинооператор, говорят, с мировым именем, зовут Игнат Рахманный! И у них с твоей мамой прямо смертельная любовь, ну, по крайней мере, так говорят. А когда его мать узнала, жуткий скандал устроила и вообще! Тогда этот Игнат взял и куда-то увез твою маму! Но ваша соседка Агния Львовна говорит, что твоя мама заезжала к ней, дала ключи от квартиры, чтобы цветы поливать, и выглядела жутко счастливой, просто вся светилась, это Агния сказала моей маме. Так что, Катюха, может, скоро поженятся... Но ты не бойся, он, по-моему, очень добрый и веселый, этот Игнат. Имечко, правда, то еще, но это не главное! А может, он тебя еще в кино снимет... Кать, ты только не обижайся, я просто ну никак не могла это все от тебя скрыть, сама понимаешь, и мы же договорились — не скрывать друг от дружки важные вещи, а это же очень важно, правда?»

...Соня жила на Войковской.

— Поедем на такси, — сказал Игнат. — Выпить хочется под одесскую шамовку! А что она за человек, твоя Соня?

— Хороший! Мы не так давно сдружились, хотя знакомы уже года три. Говорит, что хочет познакомить меня с мужчиной своей жизни.

— А он кто?

— Да понятия не имею, хотя Сонька намекала, что я очень удивлюсь. Надо полагать, я его знаю. Посмотрим.

Мы пообедали в кафе и поехали ко мне. Меня била нервная дрожь.

— Лерка, ты чего? — огорченно спросил Игнат. — Все будет нормально. Давай, мы так сделаем — ты пойдешь к себе, возьмешь там все, что надо, а я поднимусь к маме. Может, она уже утихла? Честно говоря, для меня ее поведение — шок, это ей как-то не очень свойственно.

— Видимо, именно я вызываю у твоей мамы непреодолимую аллергию.

— Почему, собственно, непреодолимую? Преодолеем. Она увидит, как я счастлив, и... Погоди. У нас еще будет очень дружная семья.

— Игнат, не надо стремиться к дружной семье, меня вполне устроит нейтралитет.

— Лерка, ты минималистка!

— Нет, Игнат, я просто реалистка.

— Ладно, чего вперед загадывать... Короче, жди меня, и я вернусь, только очень жди!

В квартире было душно и пыльно, захотелось сразу же взяться за уборку. Цветы были в порядке, спасибо Агнии Львовне. Интересно, что там у Игната? Меня вдруг охватил страх — а вдруг его мама с горя заболела, и поставит ему условие, чтобы он бросил меня... Нет, смешно, он меня не бросит. Он и вправду меня любит, но он ведь и маму свою любит. А такие мамы могут и на шантаж пойти. Мало ли... Она, наверное, знает, на какие кнопочки нажать, чтобы испугать его, заставить раскаяться. Одним словом, я сходила с ума, и чтобы окончательно не свихнуться, включила пылесос и с таким остервенением взялась за дело, что даже пылесос не выдержал, стал задыхаться, потом странно взвыл и сдох. Разумеется, я сочла это дурным предзнаменованием и горько разрыдалась. Но тут в дверь позвонили.

— Игнат! — кинулась я к нему.

— Боже, Лерка, что случилось? Чего ревешь?

— Пылесос сломался, тебя не было... я испугалась... — всхлипывала я, прижимаясь к нему.

— Лерка, что за дела? А, я, кажется, понял... Ты решила, что мама возьмет надо мной верх, я тебя брошу и т.д. и т.п. Так?

— Ну...

— И чтоб не страдать, взялась за пылесос? А поскольку ты у меня девушка темпераментная, то он, бедолага, твоего темперамента не вынес? Ну, ты и дуреха! Господи, на кого ты похожа? Я с такой лахудрой в гости не пойду, живо в душ!

— Погоди, а что там было?

— А ничего не было. Оказывается, маменька свалила в санаторий, в Кисловодск. Мне соседка сказала.

— А почему ж ты так долго?

— Ну, с соседкой надо было поговорить из вежливости.

— Постой, а как же собака?

— А собаку взяла эта сука...

— Какая сука?

— Милада.

— Кто такая Милада?

— Сука. Которая втерлась в доверие к моей мамочке, надеясь таким образом меня заполучить. Идиотка! Я, честно говоря, думал, после такого скандала, она к матери больше и носа казать не будет, но там такой комплот образовался... И путевку она ей достала и собаку взяла. Да, Лерка, вот какую на меня охоту открыли...

— Милада, это твоя бывшая?

— Одна из многих бывших. Но, как выяснилось, самая липучая.

— Она красивая?

— Очень.

— А сколько ей лет?

— Года двадцать три или двадцать четыре, но у нее есть один существенный недостаток, для меня просто основополагающий...

— Какой?

— О, заинтересовалась! Понимаешь, Лерка, она не умеет так лопать вареники! Дурочка моя, ты даже не понимаешь, сколько ты для меня значишь...

— И все это время, полтора часа ты гуторил с соседкой?

— Нет. Просто ты задаешь столько вопросов, что я не успел тебе сказать самое важное. Во-первых, наш южно-корейский фильм собираются выдвинуть на «Оскара», а во-вторых, я через неделю должен буду уехать. На месяц, как минимум.

— Господи, куда?

— На Алтай!

— А что там такое?

— Там снимал мой учитель, Терентьев. Он умер в одночасье, сердце. И меня позвали его заменить. Я обязан это сделать в его память. Пойми, маленькая моя, это не обсуждается.

— Понимаю. А мне... мне с тобой нельзя?

— Нет. Понимаешь, я, когда работаю, я не могу отвлекаться. Совсем. Я могу ненароком, и обидеть, и... Одним словом нет, Лерка.

— Ну, нет, так нет. Я поняла.

— Обиделась, дуреха?

— Нет. Обиды — привилегия горничных, сам же говорил.

— Кстати, мне посулили очень большие деньги.

— Это то, что меня волнует меньше всего.

— Знаю. И ценю. Но ты не думай, что твое «Кружево» отойдет на второй план, Мишка занимается этим вплотную. И, возможно, в октябре, если все срастется, начнем снимать. Он уже почти договорился насчет денег, так что...

— Игнат, я ничего плохого не думаю, я просто... еще не умею быть без тебя. Мы с тобой совсем недавно, а...

— Уже проросли друг в друга, да? Но это неизбежно, моя родная, нам придется время от времени расставаться, и, наверное, это даже хорошо. И, знаешь что, тебе сколько времени нужно, чтобы привести себя в божеский вид? Час? Полтора?

— Ну, у нас же есть еще время, нам к восьми. И сегодня все-таки суббота...

— Короче, ты тут чисти перышки, а я смотаюсь по одному делу на часок-полтора.

Я хотела спросить, что за дело, но прикусила язык. Не стоит.

— Хорошо, беги.

Вероятно, хочет купить новый пылесос. Это было бы очень в его духе, — решила я. И оставшееся до его отъезда время я должна вести себя так, чтобы у него и тени раздражения не возникло. Не задавать лишних вопросов, не ныть, хоть я и так не из нытиков, и делать вид, что легко переживу расставание.

Я приняла душ, вымыла голову и решила, что надену свое любимое зеленое платье. Игнат меня в нем не видел, а оно мне очень идет. И глаза накрашу посильнее, и туфли на высоких каблуках надену. Пусть видит, что оставляет вполне привлекательную женщину, к тому же сейчас даже не обремененную детьми... Пусть поревнует, помучается, не все же мне... Милада, которая борется за него в союзе с его мамашей, и вообще им несть числа, его бывшим бабам... Но он же меня любит... А откуда я знаю, что он не так же ведет себя с другими бабами, как со мной? Не говорит им этих трепетных речей, он же трепетный трепач! Одним словом, я себя накрутила. Я была уже готова, одета, обута, и в глазах боевой задор... Буду сегодня у Соньки кокетничать с другими... И тут раздался звонок. Я побежала открывать и остолбенела. На пороге стоял Игнат, гладко выбритый, и улыбался и ямочки на щеках играли...

— Боже, Игнат!

— Боже, Лерка! Какая ты красивая! Как тебе идет зеленый... Я, кстати, был в этом уверен...

— Игнат, ты почему вдруг решил сбрить бороду?

— Но тебе нравится?

— Не то слово!

— Вот! Теперь будет так — в экспедиции я отращиваю бороду, а в Москве сбриваю. У тебя будет бритый муж, а оператор Рахманный останется бородатым. Ты согласна?

— Да!

— Так, а почему это в глазах такой боевой задор? Ты что тут напридумывала в мое отсутствие, колись? Какую-нибудь чепуху про бесчисленных баб в жизни Игната Рахманного? Да?

— Очень надо! Это же в прошлом.

— Умеешь казаться умной. А на самом деле такая же дуреха, как другие бабы. Только одно отличие — тебя я люблю. И в понедельник поедем распишемся.

— Кто же нас распишет сразу?

— Распишут, есть связи. Понимаешь, хочу уехать женатым.

— Игнат, зачем?

— Чтобы быть уверенным.

— В чем?

— Не в чем, а в ком.

— А ты во мне не уверен?

— Честно? Уверен. Но ты во мне не уверена, я чувствую.

— И ты думаешь, я из тех дур, которые считают штамп в паспорте какой-то гарантией?

— Так ты не хочешь жениться, что ли?

— Без детей — не хочу!

— Вона как! Обалдеть! Обычно при слове ЗАГС девушки трепещут и жаждут, а ты...

— Я не девушка, а мать двоих детей.

— А я хочу, чтобы ты была мать троих детей! Или даже четверых!

— Хотеть не вредно! И уедешь ты холостым, ничем и никем не обремененным.

— Все, Лерка, кончай бодягу! Ты меня любишь? Вижу, любишь. И я тебя люблю. Значит, все будет прекрасно! И дети твои меня признают!

Я в сто раз симпатичнее твоего Лощилина, и вообще миляга.

— Господи, какой же ты трепач!

Уже в такси, по дороге к Соне он вдруг шепнул:

— Да, а как тебе мои ямочки?

— Это я тебе расскажу, когда ляжем в постель.

— Ого! Звучит многообещающе!

Дверь нам открыла Соня.

— О, какие люди! Лерка, выгладишь потрясающе!

— Сонечка, поздравляю! Вот, познакомься, это Игнат!

Она смерила его весьма одобрительным взглядом.

— Очень рада, Игнат! Проходите!

Часть гостей была уже в сборе. Оказалось, что Игнат прекрасно знаком с Сониной родственницей, вторым режиссером на Мосфильме. Они сразу о чем-то заговорили. А Соня увлекла меня на кухню, где у плиты колдовала весьма пышная девушка.

— Лер, это моя кузина Лора, из Одессы.

— Ой, здравствуйте, Лера, много о вас слышала! Но сейчас некогда, боюсь упустить пироженки. Попробуйте, с пальцами съедите и языком закусите!

— Лорка, что ты несешь! — засмеялась Соня и вытащила меня на балкон.

— Лерка, обалденный мужик! Миррочка его хорошо знает, говорит о нем просто с восторгом. Мне он тоже понравился, такая улыбка!

— А твой-то герой где? Пока я никого такого не заметила.

— Запаздывает. Он уже звонил, что попал в пробку.

— Да кто он такой?

— Увидишь!

— Сонь, хватит меня интриговать, говори! Я надеюсь, не Лощилин? — вдруг испугалась я.

— С ума сошла? — ужаснулась Сонька. — За кого ты меня держишь. А ты попробуй угадать!

— Ладно. Я его хорошо знаю?

— Не очень.

— В каких я с ним отношениях?

— Вы добрые знакомые.

— Так... Он из нашего цеха?

— Ты имеешь в виду сценарный цех? Нет.

— Киношник?

— Да.

— Артист, что ли?

— Да.

— Красивый? — начала догадываться я.

— Очень.

— Брюнет?

— Да.

— Все. Знаю. Никита? Александров?

— Эх, Лерка, хотела тебе сюрприз сделать...

— И у вас прямо любовь?

— Еще какая! И, между прочим, благодаря тебе.

— А я тут при чем?

— Так он начал мне сперва впаривать, как ты ему нравишься... И мы долго тебя обсуждали, а он мне на другой день звонит и приглашает на ужин. Ну, я пошла. А он и говорит: «Сонечка, я, кажется, идиот, я вдруг понял, что мне нужна вовсе не Леруня, а вы...» Вот так и получилось.

— И какие планы?

— Да пока никаких. А зачем планы? Нам пока и так хорошо. Он, конечно, не большой интеллектуал, но мне и не надо. Достаточно теплый и милый парень... Я сама умная, зачем мне умный мужик? А ты, подруга, по-моему, последние мозги со своим Игнатом растеряла.

— Кажется, да, Сонечка. Я так его люблю...

Вскоре явился Никита. Он был очень хорош.

— Леруня! — приветствовал он меня, раскрывая объятия.

Мы с ним расцеловались.

— У тебя, говорят, перемены в жизни? — шепнул он мне, хотя я не помнила, чтобы мы с ним переходили на «ты».

— Да и у тебя тоже!

— Есть такое дело! Сонечка, кого ждем? Я помираю с голоду.

— Да собственно, можно садиться, должен еще приехать мой брат.

— У тебя есть брат? — удивилась я.

— Есть. Только он живет в Аргентине. А тут случайно оказался в Москве. Познакомишься.

— А что он делает в Аргентине?

— Работает. Он хирург-офтальмолог, ученик Федорова и женат на аргентинке.

— А аргентинка не приехала? — полюбопытствовала одна из Сониных приятельниц.

— Да нет, — засмеялась Соня. — Но он вообще не по этому делу, так что не мылься, Люська! Но его мы ждать не будем.

Одесские яства пышногрудой Лоры были выше всяких похвал, да и вообще было как-то мило и весело. Игнат с таким неподражаемым юмором травил всякие киношные байки, что я только диву давалась. Время от времени он шептал мне на ухо:

— Ты лучше всех! Я тебя люблю!

Но вот раздался звонок. Соня побежала открывать.

— Ну, наконец-то! Мы уже сели, сколько можно тебя ждать?

— Ну, сестренка, не сердись, опоздал, не рассчитал время, с кем не бывает. Как бы там ни было, я тебя поздравляю!

— Ладно, все потом, пошли за стол!

Вошел мужчина, высокий, сухощавый, с хорошим интеллигентным лицом.

— О! Женя! — бросилась к нему Мирочка.

— Господа, кто не знает, мой брат Евгений, прошу любить и жаловать.

Его усадили рядом с Соней, так что она оказалась между Никитой и братом. Гости говорили всякие хорошие слова, пили, ели, Никита изрядно захмелел. И вдруг взял слово:

— Я хочу поднять бокал... Нет, не за Сонечку, хоть я ее обожаю и люблю! Ты простишь меня, дорогая, но я должен сейчас выпить за другую женщину, которой я стольким обязан, и даже своим знакомством с тобой. Я поднимаю этот бокал за твою подругу, чудесную Леруню, которая в один прекрасный день, что называется, росчерком своего талантливого пера взяла и повернула мою жизнь, поменяла мое амплуа и передо мной открылись в буквальном смысле новые горизонты. Вот, я должен наверное объяснить... Хотя нет, я вроде уже все сказал, а то Игнат уже на меня как-то подозрительно смотрит. Спокуха, Игнат! Я просто воздаю должное! Короче, я пью за Лерочку, Леруню! Леруня, будь счастлива, моя дорогая.

И вдруг я поймала на себе пристальный взгляд Сониного брата. Взгляд был заинтересованный, но какой-то холодный. А впрочем, мне на это было наплевать. Тем более что Игнат, тоже не очень уже трезвый, жарко шепнул мне на ухо:

— Надеюсь, ты талантливо расскажешь мне про ямочки?

— Игнат! — засмеялась я и покраснела.

— Женечка, а ты нам споешь? — спросила вдруг Мирра.

— О, что вспомнила!

— Да разве такое забудешь! Господа, Женя изумительно поет.

— Правда, Женька, не ломайся! — поддержала ее Соня.

— Жень, а ты аргентинские песни знаешь? — спросила Лора.

— Да нет, это не мое. Я вообще уже сто лет не пел.

— Ну, так спой на сто первый год! — подначил его Игнат. — Мастерство ведь не пропьешь, даже в Аргентине. А кстати, что там пьют, в Аргентине?

— Все! — улыбнулся Женя. — Ну, сестра, тащи гитару, раз такое дело. Поностальгируем...

Играл он прекрасно. Но пока не пел, и вдруг дивным мягким баритоном запел «Мой костер в тумане светит». Потом еще какие-то романсы. Я заслушалась. Люблю хорошее пение, а он пел по-настоящему.

— Ну все, хорошенького понемножку! — не без смущения отложил он гитару и выпил рюмку.

— Женя, — сказала я, — но почему с такими данными вы не стали певцом? У вас же дивный голос и вы такой музыкальный. Как можно зарывать в землю талант?

Он очень внимательно на меня посмотрел:

— Да я как-то не чувствовал, что это мое...

— И зря! Это ваше! Вы хоть диск записали бы...

— Диск? И кто его стал бы слушать?

— Я! Да и все, кто хоть раз слышал ваше пение.

— Спасибо, Лера! Я чрезвычайно польщен...

Может, если б я встретил такую девушку, я и стал

бы петь. Но не судьба, значит. Но я хочу спеть еще одну вещь, для вас.

Я ощутила, что Игнат как-то напрягся.

Женя взял гитару и запел почти уже забытую песню, которая когда-то странно меня волновала:

«Ах, какая женщина, мне б такую».

Он пел эту песню просто волшебно, но как мне показалось, вложил в нее что-то глубоко личное и лишнее.

И вдруг я увидела, что губы Игната сжались в ниточку, глаза стали злыми и колючими. Я испугалась и погладила его по руке. Он стряхнул мою руку и вдруг сунул под нос Евгению кукиш. Все оторопели.

— Вот! Видал? Не будет у тебя такой женщины, она моя и точка.

— О, а я, кажется, и в самом деле талантлив, — рассмеялся Женя. — Успокойтесь, как вас... Это всего лишь песня и не самого высокого разбора. Не стоит так горячиться.

— Пошли отсюда! — непререкаемым тоном заявил Игнат и схватил меня за руку.

— Игнат, успокойся.

— Мы сейчас уйдем отсюда и я сразу успокоюсь. Соня, прости, ничего личного.

Я не стала сопротивляться, чтобы не усугублять ситуацию.

На лестнице я попыталась вырвать руку.

— Пусти!

— Дудки!

— Игнат, что ты устроил!

— Я? Ничего. Просто расставил все по своим местам. Пусть этот гаучо поет свои убогие песни кому-нибудь другому. Тоже мне, козел аргентинский! Ему б такую женщину! Хрен ему!

— Игнатик, ты пьяный?

— Нет, милая, если б я был пьяный, я бы так ему харю начистил...

— А ты говорил, что не ревнивый!

— Мало ли что я говорил... Я, оказывается, многого о себе самом не знал и узнал только в связи с тобой. Мне бы кто вчера сказал, что я сбрею бороду, я бы тому в рожу плюнул, а сегодня я несусь сбривать бороду... Тьфу. А завтра надо бриться, тоска какая... Все из-за тебя, Лерка!

— А хочешь, я сама тебя завтра побрею?

— Ты умеешь?

— Умею. Даже опасной бритвой могу...

— Ни фига себе! А хочу! Вот теперь так — желаешь видеть меня бритым, изволь брить!

— Да с удовольствием!

— Лерка, это должно быть дико сексуально, а?

— Вот завтра и выясним.

— Ну, да, а сегодня у нас на повестке дня ямочки, помнишь, ты обещала?

— Конечно, помню, и уже жду не дождусь этой возможности...

— Господи, Лерка, что ты со мной делаешь? Я был такой злющий, прямо бешеный, а побыл с тобой десять минут и уже опять страшно милый, ты согласна?

Утром я действительно с восторгом его побрила.

— Лерка, это супер! У тебя такая легкая рука.

— Только тебе не мешало бы немножко загореть, а то щеки двухцветные...

— Да я же скоро уеду и опять обрасту. Да, если этот аргентинский козел еще прорежется...

— Игнат, ты с ума сошел?

— Когда ты его слушала, у тебя было такое лицо...

— У меня всегда такое лицо, когда я слушаю хорошее пение, и совершенно неважно, мужчина поет или женщина.

— Да, я еще мало тебя знаю и не видел, что отражается на твоей мордахе, когда поют бабы, но зато видел, что на ней отразилось, когда пел козел... И как он на тебя смотрел. Ты, кстати, знаешь, как переводится слово «трагедия» с древнегреческого? «Козлиные песни». Так что учти...

— Боже, какой ты болтун!

— Нет, я трепетный трепач, ты же сама сказала! Брадобрейка моя любимая, несевильская цирюльница.

Господи, как я люблю его!

Вскоре он уехал. На сей раз обет молчания мы не давали, и он уже из самолета послал мне первую эсэмэску, но предупредил, что на Алтае может запросто попасть в зону, где не только мобильник не ловит, но и Интернет недоступен.

Когда самолет на Барнаул взлетел, я помчалась домой. Игнат предлагал мне жить в его квартире, но я наотрез отказалась. Еще не хватало, я там поселюсь, а туда явится со своим ключом его мамочка... В мою квартиру она, по крайней мере, не вломится.

Через два дня я от тоски уже лезла на стенку. И чтобы не сойти с ума, позвонила Зимятову.

— Саш, скажи, а твое предложение еще в силе?

— Нет, подруга. Зеленцова уже бдит. А что, жених бросил?

— Типун тебе на язык. Просто уехал на съемки, а я вот пораскинула мозгами и пришла к выводу...

— Что дура.

— Именно!

— Ладно, Лера, мне неохота терять такой кадр, я для тебя тут выбил одну должность...

— Должность? — ахнула я.

— Ну да. Будешь у нас сценарист-консультант. В тупиковых ситуациях будешь спасать нас.

— А если их не будет?

— Тебе такое кажется возможным? Да они же возникают на каждом шагу, сама что ли не знаешь! Будешь на зарплате и, между прочим, совсем неплохой, на круг будет выходить примерно так же... Соглашайся!

— Уже! Согласилась! Меня это даже больше устраивает в новой ситуации.

— Слушай, это правда, что ты Рахманного захомутала?

— Саш, боюсь сглазить.

— Понял. Поздравляю. Мировой оператор! Да, кстати, у нас в «Лешачке» уже наметился тупик. Подваливай, подпишешь договор и приступишь к спасению утопающих.

Это и для меня было спасением, чтобы не думать все время об Игнате. От детей сведения поступали бесперебойно, они ездили в Париж, побывали везде, в том числе и в Диснейленде, теперь вернулись в Швейцарию, отдохнут там несколько дней и поедут в Австрию. Словом, впечатлений у них столько, что я бы лично не выдержала. Но в их возрасте чем больше, тем лучше. За долгую московскую зиму они уж как-нибудь их переварят. А вот на счет математической школы для Гришки я посоветовалась со знающими людьми, и мне сказали, лучше исподволь его к этому подготовить с преподавателем, а уж в следующем году поступить в лицей. Преподавателя мне тоже порекомендовали, так что я не зарою в землю его математический талант, если он и в самом деле у него есть.

На студии я столкнулась с Соней. После ее дня рождения я только раз ей звонила — извиниться за Игната. Она со смехом приняла мои извинения.

А тут мы с ней кинулись друг к дружке.

— Лер, ты что такая невеселая?

— Игнат уехал.

— Ох ты, боже мой, а без Игната ты во мрак впала?

— Ну, есть немножко...

— А между прочим мой братец здорово тобой заинтересовался.

— Но ты же вроде говорила — он не по этому делу?

— Видно, твои проникновенные речи о его таланте задели его. Просто, можно сказать, наповал мужика сразила! Да не трепыхайся, он уже улетел в свой Буэнос-Айрес! Но, как я поняла, увез в душе твой образ...

— Ну, хорошо, хоть на груди не выколол... — хмыкнула я.

— Чего? — обалдела Соня.

— Ну, у Высоцкого песня есть, «Татуировка».

— А, ну да...

— Слушай, Сонь, ты случайно не можешь узнать у своей Мирры, кто такая Милада?

— Милада? Это что за зверь?

Я объяснила подруге все, что знала.

— Спрошу. Она выяснит, если не знает, да не дрейфь, осторожненько. А ты что, ее опасаешься? Да Игнат по тебе с ума сходит.

— Тут дело не в Игнате, а в его мамаше.

— Без проблем. Сегодня же Миррочке звякну.

— Ну, а как дела с Никитой?

— Все отлично. Сделал предложение. Я приняла. Но свадьба будет зимой, сейчас у него сплошные съемки. Как прорвало. И действительно, с твоей легкой руки. Ну что, по кофейку?

— Давай!

Игнат звонил почти каждый день:

— Лерка, родная, я скучаю! Сам даже не ожидал. А ты?

— И я. Ужасно. Игнат, ты хоть напиши несколько слов.

— Лер, ты же знаешь, я по письменной части не очень... Я мастер устного творчества. Это ты у нас пером владеешь. А мне главное голос услышать. Жаль, ты скайпа не признаешь, а то бы увидела, как я уже зарос. Хотя, если честно, я тоже не любитель, уж больно там изображение фиговое...

— Вот-вот, поглядишь на меня по скайпу и разлюбишь.

— Ну, в данном случае это вопрос чисто теоретический, скайпа-то у тебя нет. Да, кстати, а почему ты мне не звонишь?

— Ну, я же не знаю, вдруг ты занят... Мало ли... И с этой разницей во времени я вечно путаюсь. Лучше ты звони.

— Ладно, буду. Все, любимая, я пошел...

После этих звонков я сутки жила спокойно. Один раз он не звонил три дня, и я сходила с ума. Но он позвонил, и жизнь показалась мне поистине прекрасной.

Как-то вечером — в тот день как раз звонил Игнат — я сидела и разбирала свой письменный стол. В нижнем, самом большом ящике мне на глаза попалась папка с Димиными письмами. Зачем я их храню? Да ни зачем, я просто забыла о них. Выброшу и дело с концом. Но из чистого любопытства я достала одно. Он написал его мне, когда я была беременна, а он уехал в командировку.

«Привет, Леруша, как вы там с нашим будущим отпрыском? Он уже шевелится? Так интересно...»

Меня вдруг затошнило. Не хочу! Надо просто сжечь к чертям эти письма. Ни единого доброго чувства они во мне не вызывали. А ведь я его любила. Надо же суметь так испоганить даже память о себе...

И вдруг в дверь позвонили. Я вздрогнула. Неужто явилась Вита Адамовна?

— Кто там?

— Лера, открой!

Это был не кто иной, как Дима. От неожиданности я открыла.

— Привет! Не ожидала?

— Видит Бог, нет. Ты зачем пришел?

— Может, впустишь меня в квартиру? Не на лестнице же мне объяснять.

— Заходи, только я занимаюсь уборкой.

— Ничего. Отложишь. Надо поговорить. Кофе дашь?

— Ну, если очень надо... Ладно, иди на кухню.

Я чувствовала себя ужасно неуютно.

— А здесь мало что изменилось. Нужен ремонт.

— Ты полагаешь, это тебя касается?

— Да нет, просто замечание мимоходом. Я все-таки немало лет прожил в этой квартире.

— Тебе сахар нужен?

— Нет, ты же знаешь.

— Я забыла.

Он, как мне показалось, скрипнул зубами.

— Ну, зачем ты пришел?

Он открыл кейс и достал оттуда... довольно толстую пачку денег.

— Это что?

— Странный вопрос. Не видишь? Деньги.

— Какие деньги?

— Что значит какие? Родные, российские, здесь сто пятьдесят тысяч.

— Это что, плата за индульгенцию?

— Нет, просто у меня появилась возможность дать тебе эти деньги, у нас как-никак дочь... А я давал тебе мало, ну и вот...

— А мне Катька не велела брать у тебя деньги. Так, что забери. Как-нибудь обойдемся.

— А я не хочу, чтобы мою дочь содержал этот болтливый субъект. Да, между прочим, Катя тебе не писала, что мы с ней помирились?

— Что? — опешила я.

— Да. Я приехал к маме в Швейцарию, поговорил с ней, попросил прощения... И она... простила. И мама тоже. Так что... с этой стороны все в порядке.

Господи, быть такого не может!

— Дима, а ведь ты врешь.

— Почему?

— Потому, что в таком случае она бы обязательно мне написала. И мама твоя тоже. Так...

значит, ты ездил туда. Катька, конечно, тебя не простила и ты решил, что я... Дима, скажи честно, чего ты добиваешься? Ты ведешь себя так глупо, что я только диву даюсь. Ты всегда был недобрым, но дураком уж точно не был.

— Чего я добиваюсь? Тебя. Ты нужна мне.

— А это что, гонорар? — я ткнула пальцем в пачку денег.

— Нет, конечно. Я уже объяснил. Мне даже Марина сказала, что я обязан давать деньги на дочь. Это деньги на дочь. У тебя есть... коньяк?

— Коньяк? Есть.

— Плесни мне немножко.

Мне стало его даже жалко. Я достала из шкафчика коньяк. Он взял у меня из рук бутылку и налил себе в кофе. Отхлебнул.

— Спасибо. Так лучше.

Мне было с ним невыносимо тяжело.

— Дима, я хочу сказать... Я не возьму этих денег...

— Почему?

— Потому что я не хочу иметь с тобой ничего общего. Не хочу никаких отношений, не нужно мне этого. Тебя несколько лет не было в моей жизни, и меня это вполне устраивало.

— Ты такая богатая, что можешь легко отказаться от таких денег?

— Я могу себе это позволить. Все, забирай деньги и уходи. С меня довольно.

— А ты стала очень красивой женщиной. Раньше ты была просто миленькая, а теперь...

— Дима, ты меня не слышишь? Уходи!

— Ну что ж...

Он поднялся из-за стола. Слава богу, сейчас уйдет.

— А помнишь, мы когда-то с тобой играли... — его голос стал хриплым...

— Я ничего не помню. Уходи.

Но он меня не слышал. Облизнул губы.

— Тебе нравилась та игра... как будто я тебя насилую... Вот сейчас и поиграем...

Он вдруг схватил меня, сжал изо всех сил. Рванул на мне халатик, пуговицы так и посыпались.

— Пусти, идиот!

— Нет уж, теперь не выпущу.

Он был очень сильным. Я кусалась, царапалась, но он только смеялся и целовал меня в шею, грудь, потом каким-то борцовским приемом вывернул мне руку. От боли я взвыла, а он поволок меня к постели. Швырнул на нее и рухнул на меня.

— Ну что ты брыкаешься? Забыла, что я мастер спорта по вольной борьбе? Расслабься, дурочка...

— Идиот, ничтожество. Да ты мне просто противен. Уйди, подонок!

И тут я вспомнила историю, придуманную Соней для одного сериала.

— Да тебе как мужику грош цена, завалить бабу легко, но ты же слабак, ничего у тебя не выйдет!

И сработало. Он отпустил меня. Но вдруг размахнулся и ударил меня в лицо. Раз, другой!

— Сука! Сука!

И с этими словами вылетел из комнаты, а потом и из квартиры.

Я лежала в полном изнеможении. Ничего себе история! Я с трудом поднялась и пошла в ванную. Боже, что он со мной сделал! Под глазом наливался синяк, грудь и шея были в черных засосах, одна щека распухла. Я разревелась. В этот момент в дверь опять позвонили. Неужто вернулся? Охолонул и вернулся просить прощения? Нет. Ни за что не открою. И вообще никому не открою в таком-то виде!

И тут же зазвонил мобильник.

— Алло, подруга? Ты не дома?

— Сонь, это ты звонишь?

— Я! У меня машина заглохла практически в твоем дворе!

— Сейчас открою. Только ты не пугайся.

— Матерь божья, Лерка! Что это? Кто это тебя так отделал?

— Сонечка, милая, — разрыдалась я, обнимая ее. — Как хорошо, что ты пришла, я думала с ума сойду.

— Что это? Изнасилование?

— Попытка.

— Ни хрена себе... Кто?

— Лощилин.

— Ошизеть! Озверел, что ли?

— Да, озверел.

— Но не трахнул?

— Благодаря тебе.

— Мне? — удивилась она.

— Помнишь, у нас в «Браслете»...

— А, это насчет «как мужику тебе грош цена»?

— Ага.

— Вот! А говорят наши сериалы бесполезны! Ну чего ты ревешь? Иди лучше, смой с себя все, а я пока кофе нам сварю. А что это за деньги?

— Он оставил. Якобы для Катьки.

— Лер, а когда Игнат-то возвращается?

— А что?

— Лучше ему тебя в таком виде не застать. Не поверит. А если поверит, убьет Лощилина и сядет лет на десять. С этим надо срочно что-то делать. Уж проще было дать, чем лечить эти следы... Вот скотина! Он у тебя псих, что ли?

— Слава богу, не у меня. Просто не может пережить, что у меня Игнат... Собственник, скотина... И ведь очухается и еще придет прощения просить, в ногах валяться.

— Вряд ли. Затаится. Будет тебя избегать всячески. Ну вот что, подруга! Я сегодня у тебя ночевать останусь. Буду делать тебе свинцовые примочки и лечить морально.

— Ох, Сонька, ты настоящий друг.

— А ты думала? Да, ты денежки-то прибери.

— Я до них даже дотрагиваться не хочу. Завтра же переведу их ему обратно.

— Завтра же? И как ты в таком виде на почту или в банк явишься?

— Тебя попрошу.

— А что... Красиво! Швырну ему эти бабки в поганую рожу. А хочешь, я поеду к нему и буквально швырну ему их в рожу?

— Нет. Зачем? У него такая милая жена, зачем ей знать?

— Ох, Лерка, твоя доброта тебя до добра не доведет. Фу, какая гадкая фраза — доброта до добра... Хотя можно это рассматривать как каламбур. Правда, не очень высокого пошиба, согласна? Опять ревешь?

— Сонь, у меня какое-то нехорошее предчувствие... что-то плохое должно случиться...

— Тоже мне пифия! Просто нервы сейчас на пределе. У тебя есть какой-нибудь транквилизатор или хотя бы пустырник? А что-нибудь от синяков у тебя есть? При двух детях должно быть. О, да тут практически уже ничего нет. Ладно, я сейчас смотаюсь в аптеку. У вас тут есть поблизости нормальная аптека?

— Есть, за углом. И еще одна, на соседней улице. Та дежурная.

— Да сейчас еще все аптеки должны работать. Ну, я пошла.

Лощилин в полном отчаянии сидел на лавочке в сквере, обхватив голову руками. Боже, что я наделал? Я совсем с ума сошел, что ли? Как я мог? Я же все испортил, окончательно и бесповоротно. Я же шел к ней, хотел примирения, хотел показать, что я раскаялся, что... А я? Ужас! Ужас! Ну уж теперь она меня никогда не простит. И хорошо еще, если смолчит, не подаст на меня в суд... Нет, этого она не сделает. Зачем ей огласка? А чтобы отомстить тебе, идиоту! Нет, нет, она

шум поднимать не станет, не тот случай. Но...
Боже, что я вообще наделал? Зачем дал то мерзкое интервью? Дочь, Катюху, восстановил против себя. Хотел все вернуть... Смешно было даже предположить, что она бы ко мне вернулась... Зачем я ей, тяжелый, мрачный, погруженный в себя? А тот, он легкий, веселый, и она так на него смотрит... А когда-то смотрела на меня, вот так же, влюбленными глазами. И долго любила меня... а я, как всегда, сам все испоганил... Не мог смириться с появлением мальчишки в семье, это была даже не семья, а кокон, в котором мне было хорошо и уютно, а появление Гришки сломало этот кокон, туда ворвалось что-то постороннее, дыхание настоящей, не придуманной трагедии, и я спасовал... Слабак, ничтожество... Она права, я слабак. Мастер спорта по борьбе! Но она была так близко, такая родная и в то же время такая недоступная, такая желанная... Что там Федор Михайлович писал? Красота спасет мир? Чепуха! И уж во всяком случае не женская красота. Да где там красота? Вот Маринка красивая. А Лерка нет, тогда что это? Любовь? А любовь мир не спасет? Вот уж точно, что нет... От любви человек вообще перестает быть человеком... Нет, это не от любви, это от похоти... Тьфу, совсем запутался. Ну их, этих классиков. Они в другом мире жили.

Хотя... Классики... Может, лет через пятьдесят и меня классиком объявят, Достоевским двадцать первого века. А чем я не Достоевский? Слог у меня, во всяком случае, куда легче и лучше... Ну, на каторге не был... Смертный приговор мне не объявляли, от рулетки не дурею... Долгов боюсь... И баб в общем-то люблю, а Федор Михайлович, хоть и баловался с ними, но ох как ненавидел... Это ж во всех его вещах чувствуется... Люто ненавидел... Вот, брат Лощилин, и выходит, что не тянешь ты на Достоевского, хоть и пишешь легче. А впрочем, время рассудит... Да, а Званцев что-то пропал... Неужто утратил интерес? Ну и черт с ним... И зачем мне это кино? Так, из спортивного интереса... Ну и черт с ним, мое от меня не уйдет. А ведь ушло! Все мое от меня ушло. Моя женщина, моя дочь, мой фильм... Все!!! И что теперь делать? Молить о прощении? Так ведь не простит же. Тогда зачем унижаться? А может, пойти и утопиться? Писатель Лощилин был обнаружен... Нет, не так. «Труп известного писателя Дмитрия Лощилина был вчера обнаружен в Москва-реке». Фу, распухший труп... утопленник... Гадость какая... Но тогда-то они меня простят, все! И дочь, и мать, и Лера... Но мне-то что с того? Мне ж не шесть лет, когда думаешь, вот умру, тогда узнаете! Идиот ты, Лощилин, идиот, неврастеник, злобный неврастеник, который только портит всем жизнь. Напиться, что ли? Нет, будет только хуже. Вены вскрыть, но так, чтоб успели спасти? Шито белыми нитками... Ты же писатель, Дима! Вон, даже с Достоевским себя сравнивал, а придумать ничего достойного не можешь... Иди-ка ты домой, трахни любящую красивую жену и напиши обо всем этом роман, мрачный и прекрасный, и дадут тебе «Букера», обязательно дадут, у нас любят, чем мрачней, тем лучше. Вон «Насморк» номинировали на «Букера», тоже почетно считается, но видно, мраку не хватило... Почему тебе всегда чего-то не хватает, Дима? Было безумно жаль себя... И вдруг пришла спасительная мысль — все это плата за талант, данный Богом! Да, именно так. Пойти, что ли, в церковь? Нынче это модно... Нет, не поможет. Или стоит попробовать? Да нет... Какой-нибудь добрый попик скажет, что все от гордыни... Я ж и сам все понимаю. Я урод. А что, вот так и надо назвать роман «Я — урод!» Тогда уж точно какую-нибудь премию дадут... А я и вправду урод!

Он тяжело поднялся и побрел к своей машине. А начать надо так: «Я — урод! — с гордостью подумал Игнат». Почему Игнат? — спросил он сам себя. А так... Назло!

...Сонька и в самом деле осталась у меня ночевать. Весь вечер она врачевала мои раны и пыталась меня развеселить.

— Лерка, а ты представь, что этому уроду все-таки удалось бы тебя трахнуть...

— Зачем?

— Чтобы понять, как хорошо, что этого не случилось. Подумай, он ушел бы, а ты осталась, мало того, что избитая, а еще и изнасилованная. Ужас?

— Ужас!

— Вот! Что и требовалось доказать.

— Знаешь, Сонька, вот если б с тобой такое случилось, я бы точно так же тебя утешала, точно так же!

— Потому что мы с тобой обе умные бабы. И сильные.

— Ну да, сильные, он вот без единого синяка ушел...

— А ты что, не сопротивлялась?

— Еще как!

— Так может он весь в синяках домой явится. И еще роман про это напишет, урод!

Время шло. Благодаря Соньке, мои синяки прошли на удивление быстро. Звонил Игнат. От детей приходили восторженные письма. Деньги

Лощилину Соня отослала. Игнат регулярно звонил. Говорил, что, конечно, придется задержаться. Ну, у нас это обычное дело.

Но вот уже три дня от него ничего не было. Я начала волноваться, но еще не очень, так уже бывало. Но на пятый день не выдержала и стала звонить сама. «Вне зоны действия сети». Полезла в Интернет, нет ли сообщений о каких-то несчастьях в съемочной группе? Ничего. И то хлеб. Мне нужно было поехать на студию, я спустилась во двор к машине и вдруг увидела идущую мне навстречу Виту Адамовну с собакой. Я растерялась. И молча кивнула ей. А она посмотрела на меня с таким торжеством, что мне стало нехорошо. Чего ей торжествовать? Ну, предположим, Игнат позвонил ей, они помирились, но разве это повод для торжества? Или он дал ей этот повод? Сказал, что она была права и он ко мне не вернется? Вот тогда есть причина торжествовать. Меня физически затошнило. И я позвонила Соньке. Рассказала про этот взгляд.

— Лер, не бери в голову! Мало ли... может у нее просто крыша поехала?

— Нет, Сонечка, это был взгляд вполне осмысленный. Она хотела мне показать...

— Что показать? Что она, возможно, помирилась с сыном, несмотря на тебя? Ну и что?

Пусть. Ты ж ему ультиматумов не ставила, мол, или я или она?

— Да боже упаси!

— Ну и вот! Помирился он с мамкой, а она и рада. Только и всего. Не бери в голову, повторяю! Все прекрасно!

— Да, но он уже пять дней не звонит!

— Слушай, он на Алтае, а там, знаешь, какие дикие места есть! Короче, не волнуйся, Леруня. Все плохое в нашей жизни уже позади.

— Ох, Сонька, спасибо тебе!

— Не за что! Обращайтесь по необходимости!

В этот день Игнат так и не позвонил. А утром следующего дня...

Раздался звонок в дверь. А вдруг это Игнат? — мелькнула мысль. Но звонок был не его. Я открыла. На пороге стояла Вита Адамовна.

— Доброе утро, Лера! Вы позволите войти?

Может, помирившись с сыном, она пришла мириться со мной? Так я, что называется, с дорогой душой.

— Да, пожалуйста, заходите! Может, хотите кофе? Или сок?

— Да нет, спасибо, я завтракала. Лера, мне очень нужно с вами поговорить. И извиниться. Я была с вами резка...

Слава богу!

— Да ладно, Вита Адамовна, бывает.

— Ну вот и славно. Я чувствую себя виноватой перед вами и потому считаю своим долгом предупредить вас...

— О чем?

— Вы знаете, кто такая Стэлла Сосновская?

— Стэлла Сосновская? Что-то слышала, кажется, какая-то модель...

— Это была безумная любовь Игната. И его жена.

— И что?

— Вы в курсе, что она родом из Барнаула? Я почувствовала, что почти теряю сознание.

— Она жила в Европе, а тут поехала навестить родителей и они случайно столкнулись с Игнатом.

— А зачем вы мне это говорите? — пролепетала я.

— Я не хочу, чтобы вы мучились. Игнат мальчик легкомысленный, понравится ему девушка, он ей с три короба наобещает, обнадежит, а потом... А тут Стэлла! Знаете, старая любовь не ржавеет...

— Постойте, а вам-то откуда все это известно? Неужто Игнат посвящает вас...

— Нет. Но у меня были добрые отношения со Стэллочкой, и она позвонила мне таким ликующим голосом, что они с Игнатом снова вместе, что он простил ее и она совершенно счастлива...

— И вы решили меня обрадовать?

— Ну что вы, Лерочка, просто я не хочу, чтобы вы питали какие-то иллюзии... Только и всего. Мы же соседи, и теперь нам с вами нечего делить. Я вас огорчила? Но лучше горькая правда... У вас дети, говорят, они за границей сейчас, поезжайте к ним, отвлекитесь и через месяц забудете об Игнате. Мы с ним, кстати, тоже помирились, так что...

Кажется, я никого еще в своей жизни не ненавидела так, как ее. Вот почему такое торжество было у нее на лице!

Она еще что-то говорила, но я ее не слышала. И только когда она поднялась, чтобы уйти, до меня дошли ее слова:

— ...и не стоит так убиваться, Лерочка, всякое бывает, когда отношения между мужчиной и женщиной возникают столь скоропалительно. Чувства все-таки нужно проверять... А вы в омут с головой, совсем не зная человека. Игнат хоть и мой сын, но с женщинами бывает ужасно жесток. Я ему сколько раз говорила... Ну, ничего, Лерочка, какие ваши годы! Найдете еще мужчину...

И с этими словами она ушла.

Я тут же набрала номер Игната. Но он по-прежнему был недоступен. Ну, ясно, просто выключил телефон. А что он мне может сказать? Извини, подруга, погорячился? Трепетный трепач! Да нет, просто обычный трепач! А эта баба... Стэлла... Конечно, как модель, вероятно, уже вышла в тираж, а тут гениальный оператор, который мрет от ее красоты... Эстетический шок... Вероятно, он опять испытал этот шок, уже на новом этапе... И какая там Лерка? Там шок, видите ли, был душевный. Но он же эстет, ему по роду деятельности положено... А тут красота всемирного масштаба, где уж нам... Я подошла к зеркалу. Да, тут с эстетикой все обстоит куда скромнее, да что там... вообще смотреть не на что. Бледно-зеленая рожа, белые губы дрожат, глаза жалкие-прежалкие... Вот тебе, Лерочка, и вся любовь... Тебе было хорошо с ним, так известно же, хорошенького понемножку. И тут зазвонил телефон.

— Лерочка? Это Елена Павловна!

— О, Елена Павловна! — чуть не разревелась я.

— Тебе уже Катюша написала? Так все же хорошо...

— Вы о чем? — вдруг страшно испугалась я.

— Гришеньке сделали операцию, вырезали аппендикс.

— Нет, я ничего не знаю! Как он?

— Все хорошо. Но напугались очень, А теперь... он плачет, зовет маму Леру...

— Я приеду! Я завтра же прилечу!

— Мы сейчас в Вене, и это даже лучше. У тебя ведь есть шенгенская виза?

— Да. Есть. А Гришка в больнице?

— Уже нет. Но везти его пока нельзя. Мы в отеле. Если ты приедешь, я закажу тебе комнату.

— Я сию минуту займусь билетом. А можно мне поговорить с ним?

— Господи, конечно, сейчас дам ему трубку.

— Мама! Мама Лера! Мне операцию сделали, пузо разрезали. Больно! Ничего не разрешают!

— Гришенька, миленький мой, я завтра же к тебе прилечу!

— Мамочка, пожалуйста, прилети! Мне так больно было, я прямо по полу катался, все так напугались, а доктор сказал, что еще немножко и было бы поздно, вот! Но я так по тебе скучаю!

— Все, маленький, я сейчас бегу за билетом!

Господи, какое счастье, что все обошлось, это мне знак — не о мужиках думать, а о детях! Такой прилив энергии я вдруг ощутила, что провернула все в считанные часы. Слава богу, билет на рейс австрийских авиалиний нашелся. Мне сразу стало легче. И следующим моим шагом была покупка новой симки, старую я выбросила, сделав рассылку с новым номером по всем номерам, кроме Игната. Все, с этим покончено! Игнату теперь будет куда легче жить. Мир и дружба с любимой мамой, не обремененная детьми Стэлла, эстетически совершенная... А что за радость в бабе, которая лопает вареники? Для гениального оператора объект недостойный его эстетизма! А завтра я увижу детей, я так по ним соскучилась! Всего хорошего, господин Рахманный!

В Венском аэропорту на шею мне кинулась Катька.

— Мамочка, мамочка, родненькая, как хорошо, что ты приехала! Не волнуйся, с Гришкой все в порядке, мамусечка моя!

— Кать, ты одна, что ли?

— Ага! На такси! Пошли скорее, машина ждет!

— Катька, как я рада! Вот, нет худа без добра... Так я бы еще долго не выбралась, а тут... Девочка моя, ты так выросла, совсем девушка... А хорошенькая какая!

Катька выглядела изумительно. Загорелая, синеглазая, свежая, прелесть просто.

— А ты, мам, замученная. Так испугалась?

— Ужасно!

— Мы с бабушкой сперва не хотели тебе сообщать, но Гришка весь изнылся... Мам, ты с ним побудешь, а потом я покажу тебе Вену!

— Вот это да!

Мы сели в ожидавшую нас машину.

— Кать, скажи, а Лощилин правда приезжал?

— Правда.

— И ты... ты его простила?

— Это он тебе сказал?

— Ну да.

— Врет! Я ему сказала «Бог простит»! Тогда он начал про тебя всякие гадости говорить... Ну, я ему тоже кое-что сказала, и мы окончательно поругались.

— Бог с ним, он, по-моему, просто болен.

— Мам, а ты надолго вырвалась?

— Ну, уж на десять дней точно!

— Да? Здорово! Гришку через пять дней уже можно будет перевезти в Швейцарию...

— А у меня же нет швейцарской визы...

— Да ну, дедушка тебе все сделает! Посмотришь, в каком шале мы живем, какая там красота... Но в Марокко у нас просто дворец! Ты обязательно потом поезжай в Марокко... Знаешь, бабушка такая хорошая, и она так нас любит, никакой разницы не делает, и тебя она тоже любит. И дедушка классный! Так здорово, что они у нас есть... Мам, ты чего плачешь?

— От радости!

В небольшом уютном отеле нас поджидала Елена Павловна. Она сидела в холле и с сияющей улыбкой поднялась мне навстречу.

— Лерочка моя приехала! Ты бледненькая, перепугалась?

— Ну, конечно.

— Катюш, веди маму к Грише, а я приду через пять минут.

Мы поднялись на второй этаж.

— Мама! Мама приехала! — закричал Гришка, едва я открыла дверь. У его кровати в кресле сидел мсье Франсуа. Это был крепкий пожилой мужчина, с красивым и очень смуглым лицом. Видно, марокканский загар въелся в него намертво. Он хорошо говорил по-русски.

— Вот и Лера наша приехала! Я душевно рад вас видеть! Грегуар напугал нас, но сейчас уже все отлично. У вас чудесные дети, Лерочка! Я счастлив иметь таких внуков!

У него была такая добрая, ласковая улыбка, что я от души расцеловала его.

— Ну, Грегуар, я пойду, а ты побудь с мамой. Катюша, пойдем со мной.

— Мамочка, ты... Дай мне руку.

— На!

Он взял мою руку, прижал к своей щеке. Слава богу, жара у него нет, отметила я.

— Мне было хорошо с бабушкой и дедом, но я все равно ужасно скучал! И ты молодец, что прилетела...

— Гришка... маленький мой!

— У тебя все хорошо, мама?

— Да, просто переволновалась... Ну, рассказывай.

— Что рассказывать?

— Что с тобой было?

— Понимаешь, у меня начал болеть живот. А я не испугался. Думал, поболит-перестанет и никому не сказал, потому что мы собирались кататься по Вене на лошадке. Ну, на извозчике. Покатались, и живот вроде перестал болеть... А потом мы еще обедали в ресторане, и вообще было здорово... Вена такая красивая! Тебе Катька потом все покажет! А когда домой приехали, вроде тоже ничего, болит, но не сильно. А ночью вдруг как началось! Я Катьку разбудил, она бабушку, а я уже по полу катался. Тогда дедушка взял меня на руки, положил в свою машину и куда-то повез. И бабушка тоже поехала. А дальше я уже не помню. Проснулся, какая-то тетка рядом сидит, лоб мне вытирает. Я пить прошу, а она не дает, только губы мне тряпкой смачивает. А потом бабушка пришла, заплаканная, и сказала, что мне вырезали аппендикс. Вот! И мне два дня было не очень, а потом меня забрали в отель. Тут совсем другое дело. Тут все наши и еще ты приехала. Ой, мама, мы столько всего уже видели!

— А тебе вставать еще не разрешают?

— Да я уже вставал, а доктор приходил и сердился... Сказал, еще два дня лежать. А в уборную меня дедушка носит. А ты знаешь, тут приезжал Катькин папа. Такой злой! И он сказал, что ты нас хочешь насовсем у бабушки оставить!

— Что за чушь! Я своих детей никому не отдам, даже такой чудесной бабушке.

— Она, правда, чудесная, но я хочу с тобой...

— Вот кончатся каникулы и вернетесь в Москву.

— И мы тебе мешать не будем?

— Вот интересно! Раньше не мешали, а теперь вдруг помешаете?

— А я боялся... Катька говорила, я зря боюсь, но я все равно боялся. Но теперь больше не боюсь.

— Вот и правильно! А вообще ты мужчина, и не должен бояться всякой ерунды, мало ли кто что говорит...

— Ладно, не буду! А про замуж это тоже враки?

— Враки, Гришенька, враки!

— Вот здорово!

К нам заглянула Катька.

— Ну что, Гринька, успокоился?

— Ага! Мама сказала, что про замуж это враки!

— Ты рад?

— А то!

— Гриш, давай ты спи, а я пока погуляю с мамой по Вене.

— Но вы не очень долго!

— Гришка, не вредничай! Тут бабушка и дед с тобой, а мы с мамой тебе какой-нибудь подарок купим, правда, мам?

— Правда! Ты чего хочешь?

— Я еще не придумал, я вам тогда позвоню!

— Молодец!

У него и в самом деле уже слипались глаза.

— Мама, пошли, покажу тебе твой номер.

— Зачем мне номер? Я буду с Гришкой!

— Нет, с Гришкой дедушка спит. Он его в сортир носит. А я с бабушкой живу. Так что тебе уже сняли номер, и близко от нашего.

— Ну что ж... Пошли?

— А ты поесть не хочешь?

— Нет, в городе поедим. Только зайдем сперва к бабушке.

— Ну что, Лерочка? Как ты нашла Гришеньку?

— Да, по-моему, все нормально, температуры нет. Господи, Елена Павловна, я так вам за все благодарна...

— О чем ты говоришь, Лера?

Первым делом Катюха потащила меня к собору святого Стефана, в который была буквально влюблена.

— Мама, смотри, какая красотища, правда?

— Правда! — согласилась я, хотя мне было совсем не до архитектурных красот. Но не разочаровывать же дочку. Мы гуляли по городу, и вдруг начал накрапывать дождь. Мы сунулись в первое попавшееся кафе.

— Катюха, ты есть хочешь? Время обедать вообще-то!

— Хочу! Я хочу венский шницель! Ты ела настоящий венский шницель?

— Кажется, ела, не знаю, насколько он был настоящий... Но я, наверное, не буду. Мне что-нибудь полегче...

— Возьми тогда какую-нибудь рыбу...

— Не хочется. Я кофе выпью, а ты ешь, Катюха.

— Мама, я не дам тебе заморить себя голодом, — вдруг как-то сурово проговорила моя дочь.

— Кать, ты о чем? Правда, неохота...

Когда к нам подошла официантка, Катька вдруг по-немецки заказала два венских шницеля и два кофе с яблочным штруделем.

— Ты говоришь по-немецки? — ахнула я.

— Нет, еще не говорю, просто научилась заказывать. Бабушка хочет, чтобы я пошла на курсы немецкого в Москве.

— И пойдешь! Назвалась груздем, изволь лезть в кузов.

— Мам, что у тебя стряслось? Я же вижу... Этот твой оператор оказался говнюком?

Я вытаращила глаза.

— Кать, откуда?

— В наш век информации это не проблема. Мне Дашка Куварзина написала. Там, оказывается, весь подъезд в курсе...

— Этого только не хватало!

— Так что случилось, мама? Я уже не маленькая, я все понимаю...

— Так уж и все? — улыбнулась я, и сама почувствовала, что улыбка вышла жалкой.

— Ну, может, и не все, но многое.

— Катюха, мне показалось, что это любовь...

— А ему?

— Что я могу сказать о нем?

— А он здорово обаятельный! Лицо приятное.

— Кать, откуда?

— Мам, ну ты от любви совсем что ли поглупела? Из Интернета, откуда... Там о нем много. Даже гением называют... Мам, он тебя бросил? Да?

— Похоже на то.

— Что значит похоже? — потребовала ответа Катька.

И я все ей рассказала.

— Мам, а ты что, сразу ей поверила, этой противной тетке?

— Понимаешь, если б накануне я не встретила ее и она не смотрела бы на меня с таким тор-

жеством, может, и не поверила бы. А тут... Я
сразу набрала ему, а он не брал трубку.

— Не брал трубку или был недоступен?

— Недоступен, — всхлипнула я.

Нам принесли венский шницель. Он был огромный, на всю большую тарелку.

— Кать, я не смогу!

— Мама, ты обязана! Тебе еще нас растить!

— Это аргумент, — улыбнулась я и отрезала
кусочек шницеля. Было вкусно.

— Помнишь, ты мне в детстве говорила: а ты
«через не могу»? Вот и ты тоже...

— Хорошо, через не могу!

Незаметно для себя я умяла этот гигантский
шницель.

— Кать, а тебе слабо попросить, чтобы кофе
и штрудель принесли через минут двадцать, не
раньше?

— Без проблем.

Она вскочила, подошла к официантке и что-то
ей сказала. Это была немолодая женщина. Она
смотрела на Катьку с нежностью и умилением. А
я так гордилась дочерью!

— Порядок, маманя!

И вдруг она вытащила из своей сумки... айпэд.

— Кать, откуда?

— Дед подарил.

— Повезло! А что ты там ищешь?

— Кое-что.

— Кать!

— Я проверяю, была ли эта модель в Барнауле.

У меня замерло сердце в слабой надежде...

— Была, черт ее дери! Но о встрече со знаменитым оператором нет ни слова.

— Ох, Кать... Брось, не надо, я не хочу! Это уже все, пройденный этап.

— Как у классика: «Не говори с тоской "их нет", но с благодарностию "были"», да?

Я не уставала поражаться своей дочери.

— Знаешь, Кать, по большому счету мне никто кроме вас не нужен.

— Мама, не надо врать своим ребятам, у тебя такие несчастные глаза...

— Я просто не спала две ночи.

— А знаешь, мам, мне кажется, он вернется. И имей в виду, я не буду против.

— Вот даже как? Но я буду против!

— А если все объяснится как-то иначе?

— Но как, Катюха, как? Что ж эта женщина, его мать, просто все придумала?

— Ну, допустим, кое-что...

— Да нет. Она же сказала, что эта Стэлла звонила ей из Барнаула. И сейчас выясняется, что она действительно была в Барнауле. И Игнат тоже обретался в тех краях. И на что она рассчитывала, обманывая меня?

— Мама, а ты хоть что-нибудь проверила?

— Нет, мне почти сразу позвонила бабушка, ну мне уж стало не до любви...

— И он больше тебе ни разу не позвонил?

— А он мне не дозвонится. Я сменила телефон.

— Понятно. Короче, мы эту тему больше не затрагиваем. Но если он все же возникнет на твоем горизонте, я не буду против. Так и знай! О, а вот и кофе! А знаешь, я не хотела тебе говорить, хотела сделать сюрприз, но я теперь тоже умею печь штрудель!

— Иди ты!

— Меня бабушка учит готовить и я уже многое умею.

— И тебе это нравится?

— Да, очень!

— С ума сойти, Катька!

— Мама, не смей разводить сырость! И без тебя дождь на улице!

Игнат примчался в Москву в страшном волнении. Лерин телефон был постоянно выключен. Домашний тоже не отвечал. Что такое могло случиться? Шутки связи? Вряд ли. Может, что-то с детьми? Прямо из аэропорта он поехал к себе, забросил вещи и аппаратуру и помчался к ней. Но сколько он ни звонил в дверь, все было напрасно. Почему она не послала мне хотя бы эсэмэску, рано или поздно она бы до меня дошла. Он подумал — подняться к матери? Нет. Наслушаюсь чепухи, а мне нужно искать мою Лерку. А вдруг она в больнице? Черт, я не знаю телефона Сони, зато знаю ее адрес, вспомнил он.

Соня собиралась в магазин. Надо купить бумагу для принтера. И вдруг в дверь позвонили, резко, настойчиво.

— Кто там? — осторожно спросила она. На днях в их доме ограбили квартиру.

— Соня, это Игнат, открой, пожалуйста.

— Игнат? — крайне удивилась она. — Чего тебе надо?

— Ты знаешь, где Лерка?

— Допустим, знаю.

— Что значит, допустим? Знаешь или не знаешь?

— Знаю.

— И где?

— А тебе зачем?

— Сонь, я ничего не понимаю! Я звоню ей уже который день, глухо! Примчался, звоню в дверь, никого. Она вообще... жива?

— Игнат, знаешь что, ты зайди. — Соня смекнула, что тут все не так уж просто, как казалось... — Зайди, сними куртку, хочешь кофе?

— Соня, скажи только, с ней что-то случилось, она в больнице?

— Слава богу, нет. Гришке вырезали аппендикс, вот она и помчалась.

— Но почему же она мне не сообщила?

— Игнат, извини, конечно, но ты ведь был в Барнауле.

— И что?

— Ты там встречался со Стэллой Сосновской?

— Что? — вытаращил глаза Игнат. — Да я ее уже лет десять не видел, да и что ей делать в Барнауле? А, хотя она, кажется, оттуда родом. Но при чем здесь она, бред какой-то...

— Ладно, вижу, что не врешь. Тут такая история... Короче, ты пропал на несколько дней, Лерка сходила с ума...

— Да, мы снимали в совершенно глухой зоне, но я предупреждал, что такое возможно.

— Ты можешь молча выслушать меня?

— Все. Молчу.

— Короче, к Лерке пришла твоя мама...

— Так!

— И она рассказала ей, что ты с ней помирился, а заодно и со Стэллой, старая любовь, дескать, не ржавеет, ты одумался и вернулся в лоно семьи.

— И Лерка в этот бред поверила? Идиотка! Как она могла?

— Игнат, ты не горячись... Накануне этого визита твоя мама, столкнувшись с Леркой, вдруг с таким торжеством на нее посмотрела, что Лерке стало дурно. И на другой день этот визит...

— Ну и где эта дуреха сейчас?

— В Вене.

— Вена большой город. Где именно?

— В каком-то отеле.

— Черт побери, Соня, в каком?

— Понятия не имею!

— А телефон?

— Она выбросила старую симку.

— Дай мне этот номер! Сию же минуту!

— Нет. Она меня убьет!

— А так я тебя убью!

— Хочешь, я узнаю, в каком она отеле?

— Ты права! Я сегодня же лечу в Вену, пусть увидит меня, по крайней мере ничего объяснять не придется и с детьми наконец познакомлюсь.

— Слушай, Игнат, значит никакой Стэллы не было?

— Говорю же, лет десять в глаза не видел.

— Но как же твоя мама, она, что, все это придумала?

— Подозреваю, что не она. Но боже мой, какая глупость это все, я бы сказал, вселенская! И моя дурища на это купилась! Ну ничего, я с этим разберусь!

— Понимаешь, Стэлла действительно была в это время в Барнауле, я проверяла.

— По Интернету? Теперь мне все ясно! Спасибо, Соня, только не предупреждай Лерку, я хочу сделать ей сюрприз. Все, я побежал.

— Куда? Закажи сначала билет. А хочешь, я тебе закажу, а то ты в таком состоянии, что еще улетишь вместо Вены в Венесуэлу.

— Валяй, я и вправду не в себе, но хоть моя дуреха жива...

— Вот, Игнат, есть рейс в десять вечера, но на него уже нет билетов, а вот на завтра, на восемь тридцать утра, годится?

— Да, это даже лучше, я все тогда успею!

После торжественного завтрака — Гришке первый раз позволили выйти к столу — он уселся смотреть последний фильм о Гарри Поттере, который по его просьбе купили мама с Катюхой.

Дед и бабушка тоже решили посмотреть. А мама и Катька отправились по магазинам. Гришка легко отпустил их.

— Идите, это ваши бабьи дела!

Через полчаса Елене Павловне надоело, и она решила выйти, прогуляться. В холле она вдруг подумала, а не присоединиться ли к внучке и Лере?

Она села в кресло и достала телефон.

В этот момент в холл влетел какой-то молодой человек и по-английски стал что-то объяснять портье.

Елена Павловна набрала номер Леры.

— Алло, детка, нет-нет, все в полном порядке, но я не в состоянии смотреть этот бред. Лерочка, я хочу где-то с вами пересечься и тоже пошататься по магазинам, вы не против? Отлично! Когда и где? Нет, Лерочка, я...

Молодой человек отлип от стойки и подошел к Елене Павловне.

— Лера, я тебе перезвоню.

— Простите, вы сказали Лера? Вы Елена Павловна?

— А вы... Без бороды? Игнат?

— Да. Вы догадались? Могу себе представить, что тут обо мне говорили, — горько усмехнулся он. — Елена Павловна, — и он вдруг бухнулся перед ней на колени.

Пожилая дама вконец растерялась.

— Елена Павловна!

— Встаньте немедленно!

— Умоляю, выслушайте меня!

— Да я вас выслушаю, встаньте!

Он вскочил, поцеловал ей руку и смущенно улыбнулся.

Боже, до чего же хорош, а эти ямочки на щеках, с ума сойти можно!

— Пойдемте, тут за углом милое кафе, там и поговорим, мы здесь привлекаем слишком большое внимание.

— О, с удовольствием!

Это было прелестное уличное кафе. Они сели за маленький круглый столик.

— Игнат, я...

— Простите, ради бога, простите, что перебиваю вас, но то, что вам тут могли рассказать, чистой воды ложь, идиотская и подлая выдумка, в которую глупая и подлая бабенка вовлекла еще и мою мать. Нет, я ее не оправдываю, но она сама никогда бы такого не придумала.

Елена Павловна посмотрела на него с одобрением. Молодец, выгораживает мать.

— И поверьте, я десять лет в глаза не видел эту Стэллу. Я даже вообразить не могу, на что они рассчитывали... Я чуть с ума не сошел от волнения. Что только не передумал...

— Игнат, скажите только одно, вы действительно любите Леру?

Он посмотрел ей в глаза и ответил только:

— Да.

— И вас не смущает тот факт, что у нее дети?

— Нисколько.

— Вы мне нравитесь, Игнат.

— Елена Павловна, я понимаю, это прозвучит глупо, особенно учитывая сложившуюся ситуацию, но... У Лерки ведь никого нет, поэтому я у вас прошу ее руки!

— Что? — рассмеялась Елена Павловна.

— Ну, а у кого же еще просить?

— У нее самой, Игнат. Ну, может, у детей... — Она помедлила и вдруг сказала: — Что касается меня, то я вас благословляю. Хоть вам и будет нелегко.

— Я знаю. Но я не легкости ищу... Я просто вне своей работы не могу существовать без этой женщины. Я задыхаюсь без нее. Как вы думаете, она... простит меня?

— А вас есть за что прощать?

— Вероятно, есть, но не в этой истории. Вы собирались встретиться с Лерой где-то в городе?

— Да.

— Возьмите меня с собой. Как я понял, она там с Катей? Вот и познакомлюсь...

— Нет, Игнат, лучше сначала попробуйте завоевать Гришку. Это будет правильнее. Катя сама мне сказала, что не будет против, если мама выйдет замуж. У нее очень сложные отношения с моим сыном. Ну, вы в курсе, наверное... А вот Гришка как огня боится Лериного замужества.

— Почему?

— Потому что ему все кажется, что он не родной сын, и следовательно... Словом, он боится. Но, я думаю, вы сумеете его обаять, но лучше это сделать безотносительно...

— Понял. Вы мудрая женщина. Как там кричал Высоцкий: «Пустите меня к нему, я хочу видеть этого человека!»

— О! Я видела этот спектакль! Незабываемо! Одну минутку, я позвоню мужу, узнаю, досмотрели ли они кино! Алло, Франсик, вы уже досмотрели эту муть? Да?

Игнат страшно волновался, почти как перед премьерой своего первого фильма. Он постучал в дверь.

— Войдите! — раздался мальчишеский голос.

— Привет, Гриша!

— Привет! Вы кто?

— Привет, меня зовут Игнат, я нашей встрече очень рад!

Гришка расплылся в улыбке. Этот дядька сразу ему понравился.

— А я Гриша, инвалид, у меня живот болит!

Игнат рассмеялся, подошел и протянул Гришке руку.

— Будем знакомы. Но какой же ты инвалид? Подумаешь, аппендицит! Я вот классе в пятом, что ли, притворился, что у меня болит живот, чтобы не писать одну контрольную, и так заигрался, что мне здоровый аппендикс вырезали!

— Сами? Притворились?

— Ну да, вот такой был дурак.

— Нет, это врачи были дураки, не разобрались, что вы этот... как его... спекулянт.

— Ты хотел сказать, симулянт?

— Да, точно!

— Знаешь, а я с этой точки зрения никогда об этом не думал... Интересная точка зрения, между прочим, ты молодец!

— А вы помните, как вас резали?

— Нет, ну что ты, мне же наркоз дали...

— А перед тем, вам страшно было?

— Ага. Ужас как страшно, но не мог же я сказать врачам, что симулирую... Сам понимаешь.

— У вас сила воли?

— Ну, типа того...

— А мама не разрешает так говорить.

— Как?

— Типа того.

— А! И права мама, это черт знает что, говорить «типа того».

— А вы мою маму знаете?

— Знаю.

— Она правда клевая?

— Чистая правда! Гриш, а вот скажи, твоя мама ведь киношница?

— Да, она сценарии пишет.

— А ты был когда-нибудь на съемках?

— Нет. Мама сама там редко бывает, она всегда говорит «сценарист в нашем деле последний человек». А тетя Соня говорит, что самый последний человек, это автор книжки, по которой кино снимают. А вы тоже в кино работаете?

— Да. А ты хотел бы попасть на съемки?

— Вы можете это устроить?

— Как два пальца... Тьфу, запросто!

— А я знаю, что вы хотели сказать! — хитро улыбнулся Гришка. — Но при детях так говорить не положено, да?

— Надо же, все ты понимаешь, брат Григорий!

— А вы в кино кто?

— Я — оператор! Практически второе лицо после режиссера и могу взять тебя на любые съемки.

— Здорово! А вы не обманете?

— Зуб даю! Ой, так тоже при детях нельзя, — и он состроил такую уморительную гримасу, что Гришка покатился со смеху.

— Ой, больно! Мне нельзя так смеяться.

— Все, я теперь буду исключительно серьезен!

— А сможете?

— Приложу все усилия.

И он ласково улыбнулся мальчику. Гришка был покорен. Никогда ему ни один знакомый дядька, кроме дедушки Франсуа, так не нравился.

— Дядя Игнат...

— Какой еще дядя! Просто Игнат и можно на ты... Я ж еще не очень старый.

— А почему у тебя щеки двух цветов?

— Бороду вчера только сбрил, вот не успел еще загореть. Но загорю за три дня.

— А зачем ты бороду носишь?

— Бриться лень!

— А почему тогда побрился?

— Надо было.

— А ты вообще откуда тут взялся?

— Ну, я долго был на Алтае, а сегодня прилетел из Москвы. А знаешь, на Алтае со мной произошла одна история... Мы с товарищами в лесу лосенка нашли, раненого.

— Ой!

— На него, по-видимому, кто-то напал, то ли мать застрелили, а он один остался, а защитить было некому, то ли еще что, но короче, у него нога была сломана и на боку рана...

— Огнестрел?

— Нет, рваная рана, он уже еле дышал...

— И что вы сделали?

— Положили его на кусок брезента, дотащили до машины и отвезли к ветеринару.

— А он тяжелый был?

— Тяжелый! Мы, два здоровых мужика, его еле доперли.

— Его вылечили?

— Да! Рана оказалась не очень глубокая, а ногу ему в гипс...

— А у них разве ноги, а не лапы?

— А хрен его знает... Ой!

— При детях так тоже нельзя! — рассмеялся Гришка.

— Знаю. Но мы же между собой, правда! А что касается ног или лап... Нет, все-таки ноги. Про лошадей же не говорят лапы, ну и лоси недалеко ушли от лошадей... Точно, ноги!

— А почему ты со мной сидишь?

— Да вот, зашел познакомиться, и заболтался. Ты хочешь, чтобы я ушел?

— Нет, совсем не хочу! С тобой интересно! А ты в нарды умеешь играть?

— Умею, но не очень...

— А в шахматы?

— Нет. Это для меня чересчур мудреная игра! Вот в шашки могу, особенно в поддавки! Я, брат, в карты играю.

— Ты картежник?

— Ну, так сказать нельзя, просто люблю иногда пулю расписать...

— Это как?

— А это игра в преферанс, о ней так говорят.

Тут в комнату вошла Елена Павловна.

— Ну, мальчики, как вы тут?

— Хорошо, бабуль! Игнат такой клевый!

— Гришенька, тебе пора таблетку пить. А дяде Игнату...

— Не дяде, а просто Игнату... Что ему пора?

— У него есть одно очень важное дело.

— Игнат, ты еще придешь?

— Без вопросов. И, надеюсь, уже скоро!

— Супер!

Мы с Катькой так устали от магазинов, что в глазах уже рябило. Я накупила ей кучу красивых вещей. Она, правда, требовала, чтобы я и себе хоть что-то купила, но я ничего не хотела. Потом вдруг позвонила Елена Павловна, и тоже собралась к нам присоединиться. Гарри Поттер не увлек ее. Но потом почему-то передумала.

— Ну что, Катюха, поедем уже в отель?

— Нет, мам, давай в кафе посидим. Мне так нравится здесь сидеть с тобой.

— Ну, давай!

Общение с дочерью сейчас было для меня лучшим лекарством. Она такая умная, все понимает... Говорят, от осины не родятся апельсины. Чепуха, от осины по фамилии Лощилин родился такой прекрасный апельсин! И этот апельсин недавно приехал из Марокко! — вспомнился мне ранний роман Аксенова. Я засмеялась.

— Мамочка! Ты смеешься! Ура! А почему?

Я поделилась с дочерью своей довольно глупой ассоциацией, но она пришла в восторг. И тут вдруг ей кто-то прислал эсэмэску.

— От кого, Кать?

— Да это из Москвы, неинтересно, я отвечу. Вот и все. Так о чем мы, мама?

Прошло еще минут двадцать. И вдруг раздался цокот копыт. Здесь это не редкость.

— Смотри, мама!

Извозчик остановился у самого кафе. В пролетке сидел мужчина с таким огромным букетом ромашек, что его самого не было видно.

— Это к тебе, мамочка!

— Что за глупости!

— Я побежала, встретимся в отеле!

— Катя! Куда?

Но она уже исчезла. Я оглянулась и вдруг...

— Лерка моя! Держи, дурища!

И он сунул мне в руки ромашки, но я от неожиданности выронила букет и ромашки рассыпались.

— Игнат! Но как?..

Он положил на стол какую-то купюру и вдруг подхватил меня на руки, вынес из кафе и посадил в пролетку!

— Игнат! Но...

— Все хорошо, дуреха! Как ты могла поверить в эту хрень? Мне во всем свете никто не нужен, кроме тебя! И я успел сдружиться с Гришкой! И вообще... Все, Лерка, свобода твоя накрылась медным тазом! Начинается семейная жизнь! Держи!

Оказалось, что на сиденье лежал еще один букет ромашек... А от него пахло моим любимым парфюмом. И ямочки на бритых щеках...

Вот так, в пролетке, с букетом ромашек, под цокот копыт по венским мостовым я въезжала в новую жизнь. Какой она еще будет?

Литературно-художественное издание

Екатерина Николаевна Вильмонт

ТРЕПЕТНЫЙ ТРЕПАЧ

Ответственный редактор *И.Н. Архарова*
Технический редактор *Т.П. Тимошина*
Корректор *Н.В. Камышанская*
Компьютерная верстка *С.Б. Клещёв*

При техническом участии ООО «Издательство АСТ»

ООО «Издательство Астрель».
129085, г. Москва, пр-д Ольминского, д. 3а

Издано при участии ООО «Харвест». ЛИ № 02330/0494377 от 16.03.2009.
Ул. Кульман, д. 1, корп. 3, эт. 4, к. 42, 220013, г. Минск, Республика Беларусь.
E-mail редакции: harvest@anitex.by

Республиканское унитарное предприятие
«Издательство «Белорусский Дом печати».
ЛП № 02330/0494179 от 03.04.2009.
Пр. Независимости, 79, 220013, г. Минск, Республика Беларусь.

РЕГИОНЫ:

- г. Архангельск, ул. Садовая, д.18, т. (8182) 64-00-95
- г. Астрахань, ул. Чернышевского, д. 5а, т. (8512) 44-04-08
- г. Владимир, ул. Дворянская, д. 10, т. (4922) 42-06-59
- г. Волгоград, ул. Мира, д.11, т. (8442) 33-13-19
- г. Вологда, Пошехонское шоссе, д. 22, ТЦ «Мармелад», 3 этаж, т. (8172) 78-12-35
- г. Воронеж, ул. Кольцовская, д. 35, ТЦ "Галерея Чижова", 4 этаж, т. (4732) 579-314
- г. Екатеринбург, ул. 8 марта, д. 46, ТРЦ «ГРИНВИЧ», 3 этаж, т. (343) 253-64-10
- г. Иваново, ул. 8 Марта, д. 32, ТРЦ "Серебряный город", 3 этаж, т. (4932) 93-11-11 доб.
- г. Ижевск, ул. Автозаводская, д. 3а, ТРЦ "Столица", 2 этаж, т. (3412) 90-38-31
- г. Калининград, ул. Карла Маркса, д.18., т. (4012) 66-24-64
- г. Кемерово, ул. Ноградская, д. 5, 1 этаж, т. (3842) 45-25-78
- г. Краснодар, ул. Дзержинского, д. 100, ТЦ "Красная площадь", 3 этаж, (861) 210-41-60
- г. Красноярск, пр-т Мира, д. 91, ТЦ "Атлас", 1,2 этаж, т. (391) 211-39-37
- г. Курск, ул. Ленина,д.11, 1 этаж, т. (4712) 70-18-42; (4712) 70-18-44
- г. Орел, ул. Ленина, д. 37, т. (4862) 76-47-20
- г. Оренбург, ул. Туркестанская,д.31, т. (3532)31-48-06
- г. Пенза, ул. Московская, д. 83, ТЦ "Пассаж", 2 этаж, т.(8412) 20-80-35
- г. Ростов-на-Дону, г. Аксай, Новочеркасское ш., д. 33, ТРЦ "Мега", 1 этаж, т. (863) 265-83-34
- г. Рязань, Первомайский пр-т, д. 70, к. 1, ТРК "Виктория Плаза", 4 этаж, т. (4912) 95-72-11
- г. С.-Петербург, ул. 1-ая Красноармейская, д. 15, ТЦ "Измайловский", 1 этаж, т. (812) 325-09-30
- г. Ставрополь, пр. Карла Маркса, д. 98, т. (8652) 26-16-87
- г. Тверь, ул. Советская, д. 7, т. (4822) 34-37-48
- г. Тольятти, ул. Ленинградская, д. 55, т. (8482) 28-37-68
- г. Тула, ул. Первомайская, д. 12, т. (4872) 31-09-22
- г. Тюмень, ул. М. Горького, д. 44, ТРЦ "Гудвин", 1 этаж, т. (3452) 790-513
- г. Уфа, пр. Октября, д. 34, ТРК "Семья", 2 этаж, т. (3472) 293-62-88
- г. Чебоксары, ул. Калинина, д. 105а, ТЦ "Мега Молл", 0 этаж, т. (8352) 28-12-59
- г. Челябинск, ул. Кирова, д. 96,
- г. Череповец, Советский пр-т, д. 88, т. (8202) 20-21-22
- г. Ярославль, ул. Первомайская, д. 29/18 , т. (4852) 30-47-51